J'AI ACHETÉ

la fille
de
son père

Conception graphique de la couverture: Violette Vaillancourt
Illustration: Hélène Boudreau

DISTRIBUTEURS EXCLUSIFS:

- Pour le Canada et les États-Unis:
  LES MESSAGERIES ADP*
  955, rue Amherst, Montréal H2L 3K4
  Tél.: (514) 523-1182
  Télécopieur: (514) 521-4434
  * Filiale de Sogides Ltée

- Pour la Belgique et le Luxembourg:
  PRESSES DE BELGIQUE S.A.
  Boulevard de l'Europe 117
  8-1301 Wavre
  Tél.: (10) 41-59-66
      (10) 41-78-50
  Télécopieur: (10) 41-20-24

- Pour la Suisse:
  TRANSAT S.A.
  Route du Grand-Lancy, 2, C.P. 125, 1211 Genève 26
  Tél.: (41-22) 42-77-40
  Télécopieur: (41-22) 43-46-46

- Pour la France et les autres pays:
  INTER FORUM
  13, rue de la Glacière, 75624 Paris Cédex 13
  Tél.: (33.1) 43.37.11.80
  Télécopieur: (33.1) 43.31.88.15
  Télex: 250055 Forum Paris

Linda Schierse Leonard

la fille
de
son père

Guérir la blessure
dans la relation père-fille

Traduit de l'américain par
Paule Noyart

le jour,
éditeur

L'ouvrage original américain a été publié par Swallow Press
sous le titre *The Wounded Woman*. (ISBN: 0-8040-0397-1)

Dépôt légal: 3e trimestre 1990
Bibliothèque nationale du Québec

ISBN 2-89044-420-1

à mon père

REMERCIEMENTS

Je voudrais exprimer ma gratitude envers toutes ces femmes et tous ces hommes qui, au cours des six années qui ont été consacrées à la rédaction de ce livre, ont partagé avec moi leurs expériences et leurs connaissances relatives à la relation père-fille.

Un remerciement tout particulier à l'institut C. G. Jung de San Francisco pour les bourses qui ont financé les travaux techniques nécessaires à l'élaboration de cet ouvrage; à l'équipe de rédaction de la revue *Psychological Perspectives* dans laquelle ont été publiés quatre articles qui ont été incorporés à ce livre, et tout spécialement à William Walcott, à Russell Lockhart et à Al Kreinheder pour leur appui et leurs suggestions éditoriales; à Donna Ippolito de Swallow Press dont les avis ont été d'une incommensurable importance lors de l'ultime révision du texte; à Mary Ann Mattoon; à mon groupe de rédaction: John Beebe, Neil Russack et Karen Signell; à Peer Hultberg et à Kirstin Rasmussen; aux élèves de ma classe de la California School of Professional Psychology à Berkeley, qui m'ont permis de partager leurs idées sur la paternité et la féminité; à Hilde Binswanger qui m'a incitée à écrire cet ouvrage; à Jane et Jo Wheelwright, à Janine et Steve Hunter et à Gloria Gregg; et tout spécialement à ma mère Virginia, avec laquelle j'ai partagé le souvenir de mon père.

Remerciements reconnaissants aux éditeurs qui ont permis la reproduction des extraits suivants dans la version originale:

«A Sword» de Karin Boye, extrait de *The Other Voice*, W. W. Norton and Co., 1976, avec la permission de Albert Bonniers Förlag AB.

PRÉFACE

UNE PETITE FILLE BLESSÉE

Quand j'étais petite, j'adorais mon père. Cet être chaleureux et aimant était mon compagnon de jeu préféré. Il me donnait des leçons de base-ball et de mathématiques. Lorsque j'avais sept ans, il m'emmenait chaque samedi à la bibliothèque et se montrait si ensorceleur que la bibliothécaire me permettait d'emporter quatorze livres au lieu de sept. N'ayant pas eu la possibilité, malgré son goût pour l'école, de terminer son cours secondaire, mon père m'avait communiqué son amour pour l'étude et, avec ma grand-mère, passait des heures et des heures à m'aider à étudier, inventant des jeux-questionnaires dans le but d'augmenter et d'améliorer mon vocabulaire. En hiver, il m'emmenait faire de la luge, et je me laissais envoûter par le scintillement magique de la neige dans la nuit et l'excitation des courses folles au pied des collines. Nous assistions à des courses de chevaux; j'y découvris les frissons que procurent la vitesse et le jeu. Mon père aimait les animaux et ceux-ci devinrent mes amis. Lorsque nous nous promenions, nous faisions toujours la connaissance de nouvelles personnes, car mon père était amical et liant. J'étais la «petite fille à son papa»; il était si fier de moi que j'arborais constamment un sourire resplendissant. Ma mère lui était très chère également. Chaque fin de semaine, il nous emmenait dîner dans des restaurants exotiques, ensuite il invitait maman à aller danser jusque tard dans la nuit. Bien que nous n'eussions pas beaucoup d'argent, la vie ressemblait à une grande aventure; il y avait sans cesse des choses nouvelles et intéressantes à voir et à faire. Mais soudain, tout bascula. Mon père se mit à traîner dans les bars, et quand il rentrait à la maison, j'étais souvent réveillée par ses vociférations. Au début, ces incidents furent peu fréquents, puis ils se multiplièrent: une fois par semaine, puis deux, et finalement presque chaque soir. Les premiers temps, je me posais des questions, me demandant pourquoi ma mère tourmentait autant mon père le dimanche matin. J'étais si triste pour lui. Mais lorsque j'atteignis mes neuf ans, la situation devint tout à fait claire. Mon père était l'ivrogne du quartier! Il n'arrivait pas à conserver un travail; j'avais affreusement honte de lui. Il existe une photo de moi à cette époque: le contraste entre cette image et la petite fille qui exultait de bonheur quelque temps auparavant est impressionnant. J'avais l'air d'une enfant abandonnée. Disparu le sourire, éteints les yeux brillants, j'avais à présent le regard d'un enfant battu et une bouche amère. Pendant les quelques années qui suivirent, mes sentiments à propos de mon père furent marqués par la confusion. Je l'aimais. Je souffrais pour lui. J'avais honte de lui. Je n'arrivais pas à comprendre comment il pouvait être si merveilleux à certains moments et si épouvantable quelques heures plus tard.

Une soirée en particulier reste terriblement présente à ma mémoire. Mon père, ainsi que je l'ai dit, rentrait très tard lorsqu'il avait bu et menaçait alors de frapper ma grand-mère (la mère de maman). Ma mère et moi devions souvent appeler la police pour le sortir de la maison. En général, c'était moi qui téléphonais. Parfois, mon père était si violent que je n'arrivais pas à atteindre le téléphone et, dans mon effroi, je me précipitais sur le pas de la porte pour appeler au secours. Lors d'une de ces soirées particulièrement effrayantes, les policiers me trouvèrent sanglotant dans un coin du porche où je m'étais réfugiée. L'un d'eux se tourna vers mon père et lui dit: «Comment pouvez-vous faire cela à votre petite fille?» Le souvenir de la pitié de cet étranger et cette question posée à mon père ont fait écho dans ma tête pendant de nombreuses années. C'est peut-être à ce moment précis que, tout au fond de ma psyché, se sont déposées les semences qui allaient faire germer l'idée de ce livre.

Tandis que j'approchais de l'adolescence, les sentiments embrouillés que j'éprouvais à l'égard de mon père se figèrent, pour se transformer en bloc de haine. J'avais cessé de l'aimer, je n'avais même plus pitié de lui. Sa conduite me répugnait, je le haïssais de toutes mes forces. Lorsque je parlais de lui à mes professeurs et à mes amis, il fallait que je mente, et il m'était impossible d'inviter quiconque à la maison. Personne, excepté nos plus proches voisins, ne savait que mon père était un ivrogne. Et personne, je m'en étais fait le serment, ne le saurait jamais — du moins par moi. Je refusais totalement de m'identifier à lui, m'efforçant de devenir son opposé dans tous les domaines et de toutes les manières possibles.

Afin de me protéger, je menais une double vie. À l'école, je bûchais ferme; j'étais une élève studieuse, toujours à la tête de sa classe. Bien qu'étant le chouchou du professeur, je m'entendais très bien avec mes camarades, mon attitude aimable et joyeuse, souple et réservée, leur plaisait. Vue de l'extérieur, j'étais une fille sérieuse et gentille; mais à l'intérieur de moi-même régnait une terrible confusion faite d'une haine furieuse contre mon père, de la honte incoercible d'être sa fille et de l'angoisse que quelqu'un puisse découvrir qui j'étais réellement. Les seuls indices qui auraient pu me trahir étaient un tic nerveux au visage que j'avais acquis à quatorze ans, et le fait que, contrairement aux autres filles, je ne sortais pas avec des garçons. Cependant, étant donné que j'avais un an d'avance sur les autres et que j'étais en conséquence plus petite et plus jeune, ces différences étaient acceptées. À l'école, mon assiduité et ma personnalité attachante m'avaient valu l'aide et l'amitié de mes compagnes; j'y puisais un grand réconfort. Mais à la maison, la vie avait tourné au cauchemar. Je ne savais jamais si j'allais ou non être réveillée en plein milieu de la nuit par ce fou qu'était devenu mon père. Je ne pouvais m'empêcher de penser au jour où il reviendrait avec un fusil pour nous tuer toutes les trois.

Lorsque je devins adolescente, je pris la décision de m'enfuir. Je savais qu'en restant à la maison je courais à ma perte. Afin de me protéger du chaos effrayant qui y régnait —

qu'il fût provoqué par la dépendance hargneuse de mon père ou par les besoins affectifs de ma mère, qu'elle me demandait sans cesse de combler —, je trouvai refuge dans le monde de l'intellect et de la logique. Cela me permit de prendre mes distances à l'égard de ma mère: je savais que si j'acceptais de me laisser piéger plus longtemps dans cette situation, cela équivaudrait à une incarcération à vie dans la prison du passé. Je m'efforçai de briser avec tout ce qui m'identifiait à mes parents et, en dernier recours, avec tout ce qui échappait à mon contrôle.

Pendant plusieurs années, cette armure intellectuelle impénétrable me protégea très bien. Je quittai la maison et devins journaliste dans un petit quotidien du Colorado. Je m'inscrivis ensuite à un cours de philosophie afin de me cultiver l'esprit et de réfléchir plus profondément sur le sens de l'existence. C'est à cette époque que j'épousai un intellectuel. Il m'aurait été difficile de trouver homme plus différent de mon père. Mon mari m'encouragea à poursuivre mes études jusqu'au doctorat, et je consacrai ainsi ma vie aux choses de l'intellect.

Pendant cette période, l'alcoolisme de mon père arriva à son point culminant. Pour mon vingt et unième anniversaire, il décida de me donner un anneau orné d'une opale, ma pierre de naissance. Il avait réussi, bien qu'étant sans travail et sans le sou — il buvait tout ce qu'il possédait — à économiser vingt-cinq dollars pour cette bague. C'était le premier cadeau qu'il me donnait depuis des années. La bague était superbe; l'opale étincelait de tous ses feux magiques. Mais il me fut impossible de la porter. À chacune des rares visites que je fis à la maison avant la mort de mon père, il me demandait où était la bague, et je lui répondais de façon évasive. Je me sentais très coupable, mais porter cette bague était au-dessus de mes forces. Ce n'est que plusieurs années plus tard, alors que j'étais plongée dans la rédaction de ce livre, qu'il me devint possible de porter ma bague d'anniversaire. Aujourd'hui elle ne me quitte plus; j'espère qu'elle va m'aider à combler le terrible vide qui me sépare de mon père.

Après mon mariage, tout ce qui était refoulé dans mon inconscient remonta à la surface d'une manière mystérieuse et incontrôlable. Ces accès prirent la forme de crises d'anxiété et de dépression. Afin de comprendre ce qui m'arrivait, je me tournai vers les philosophes existentialistes, Heidegger et Kierkegaard, vers les romanciers tels Dostoïevski, Hesse, Kafka et Kazantzakis, vers les poètes comme Rilke et Hölderlin, et, finalement, vers la psychologie de C. G. Jung. Dans le but d'améliorer encore mon système de défense basé sur le développement de l'intellect, et prétextant de ma volonté de devenir moi-même psychothérapeute, je partis à Zurich pour y commencer une psychanalyse jungienne. Soudain, mon côté dionysiaque réprimé fit surface. Mon premier rêve, le premier que je fis lorsque je commençai l'analyse, fut un terrible cauchemar qui m'éveilla au milieu de la nuit. Dans ce rêve, Zorba le Grec était pendu par le cou au bau d'un bateau échoué. Mais il n'était pas mort! Il me criait de le détacher, et tandis que je m'efforçais maladroitement de le faire, il se libérait lui-même dans un effort surhumain. Ensuite, il m'embrassait.

Bien que ce rêve fût profondément perturbant, Zorba n'en symbolisait pas moins l'appétit de vivre — la relation dyonisiaque insouciante et ludique avec le monde. Mais ce monde-là était également associé à mon père, et j'avais vu à quel point ce voyage dans l'irrationnel avait été destructeur et abêtissant pour lui. Étant donné que j'avais consciemment nié ce côté irrationnel de moi-même en me dissociant de mon père, le royaume de Zorba m'apparut d'abord comme chaotique, effrayant et primitif. Jung a décrit le voyage dans l'inconscient comme une expédition nocturne en mer, un voyage de mort et de démantèlement, une ère de peur et de tremblement devant l'inconnu terrifiant. Voilà où j'en étais. Entrer dans le monde de mon père demandait du courage, mais je ne peux me donner tout le crédit de ce plongeon au fond des abysses. J'y fus poussée. C'est comme si une figure silencieuse avait bondi derrière moi pour me faire basculer dans le précipice au bord duquel je me penchais. C'est dans ces profondeurs que je fus confrontée à mon irrationalité, à mon ivrognerie et à ma colère. Exactement comme mon père! Car bien souvent ma conduite fut pareille à la sienne. Je me soûlais lorsque j'étais invitée à des soirées et mon côté séducteur et excessif émergeait alors dans toute son ampleur.

Face au royaume de l'irrationnel, ayant l'impression d'avoir été mise en pièces comme le Dionysos mythique, je commençai à lâcher la bride à mon côté sombre et torturé. Mon aspect physique se transforma; je laissai pousser mes cheveux, que j'avais portés jusqu'alors coiffés à la garçonne, et adoptai le style hippie. Sur les murs de mon appartement étaient accrochées des reproductions de peintres expression-nistes allemands, aussi colorées que grotesques et effrayantes. Lorsqu'il m'arrivait de me trouver dans des villes étrangères, je recherchais les hôtels minables des quartiers dangereux. Je plongeai tête la première dans le monde de mon père, avec la même frénésie que j'avais mise à l'éviter. Et je fis connaissance avec la honte et la culpabilité qui, aupara-vant, m'avaient paru appartenir exclusivement à mon père. Cette conduite compulsive était démentielle, mais je savais que quelque chose de précieux en sortirait. C'est durant cette période chaotique que je fis le rêve suivant:

L'entrée de la maison de mon père est une petite porte de cave branlante. À l'intérieur, je frissonne en voyant des morceaux de papier jaunis à moitié détachés des murs. Des cafards noirs et brillants grouillent sur le sol fissuré et grim-pent le long des pieds d'une table en bois brun aux contours rongés, le seul meuble présent dans la pièce. L'endroit n'est pas plus grand qu'une alcôve; je me demande comment un individu, même mon père, peut y vivre. Soudain, la peur me glace le ventre et je cherche désespérément à m'échapper. Mais la porte par laquelle je suis entrée semble s'être estom-pée dans l'obscurité. J'arrive à peine à respirer, tandis que mes yeux parcourent frénétiquement la chambre à la recherche d'une sortie. Finalement, j'aperçois un étroit passage en face de la porte par laquelle je suis entrée. Dans la hâte de quitter cette chambre effrayante, je me précipite dans la pénombre du couloir. Lorsque j'arrive au bout, je suis d'abord aveuglée par la lumière, mais ensuite je pénètre dans la cour la plus magnifique que j'aie jamais vue. Une abondance de fleurs, de fontaines et de magnifiques statues de marbre se présente à ma vue. Cette cour est carrée. Elle constitue le cœur d'un temple oriental, avec quatre tourelles tibétaines s'élevant au-dessus de chaque angle. C'est seulement alors que je réalise que tout cela appartient également à mon père. Tremblante, en proie à la peur, à la terreur et à l'émerveillement, je me réveille, complètement abasourdie.

Il y avait donc un couloir menant de la cave crasseuse et infestée de cafards de la maison de mon père à un magnifique temple tibétain. Encore me fallait-il le trouver.

Je tombai à plusieurs reprises dans le chaos durant cette époque démente et compulsive, mais j'arrivai néanmoins à m'en tirer honorablement dans le quotidien. De plus, la certitude d'une autre réalité, plus puissante, pénétrait petit à petit dans ma conscience. C'est à cette époque quelque peu dévastatrice que je fis quelques expériences aussi mystiques que merveilleuses. Le royaume de l'art, de la musique, de la poésie et des contes de fée, le monde de l'imagination et de la créativité s'ouvrirent graduellement à moi. La jeune femme introvertie et timide que j'étais devint plus spontanée; elle apprit à exprimer ses sentiments avec plus de chaleur. Je devins plus sûre de moi, et le besoin de cacher ma véritable nature m'abandonna.

Deux événements traumatisants frappèrent ma famille pendant cette période. Mon père s'étant endormi, ivre, une cigarette à la main, le feu prit et brûla la maison jusqu'à ce qu'il n'en reste plus qu'une carcasse noircie. Ma grand-mère, incapable de sortir de sa chambre à l'étage, périt dans l'incendie. Mon père avait essayé de la sauver, mais il était arrivé trop tard. Il fut gravement brûlé et hospitalisé. À quel point il fut par la suite tenaillé par la culpabilité et miné par son comportement autodestructeur, nul n'est en mesure de le dire. Lui-même ne pouvait ou ne voulait pas en parler. Les détériorations provoquées dans son cerveau par l'alcool étaient sans doute trop grandes. Deux ans plus tard, il mourut.

La mort de mon père fut un choc terrible, qui m'affecta profondément. Je réalisai qu'il était trop tard pour lui parler, trop tard pour lui dire à quel point j'étais malade à l'idée de l'avoir rejeté et combien, en fin de compte, je ressentais de compassion pour sa vie de souffrances. Notre relation manquée était une blessure ouverte dans ma psyché.

Peu après sa mort, le jour de mon trente-huitième anniversaire, je mis la bague ornée d'une opale. Et je commençai à écrire ce livre. Qu'il soit publié m'importait peu. Tout ce que je savais, c'est qu'il était impératif pour moi de faire le point et d'écrire sur la blessure que m'avait laissée ma relation avec mon père. L'acte d'écrire allait peut-être me rapprocher de lui. Ce rapprochement avait été impossible sur le plan extérieur, mais sur le plan opposé, par le biais de ce livre, peut-être allais-je parvenir à sauver mon père intérieur.

Écrire fut un processus long et difficile. Lorsque je rédige, je n'ai pas la moindre idée, avant de commencer, de ce que je vais dire. Étant donné que je ne fais pas de plan, il me faut tout simplement attendre que quelque chose veuille bien sortir de ma plume. Écrire fut un engagement et un acte de foi, une foi grâce à laquelle je savais que quelque chose apparaîtrait du fond de ma psyché que je puisse nommer, exprimer avec des mots. Je savais également que, quels que soient ces mots, et même si ceux-ci éclairaient ma relation douloureuse avec mon père, ils laisseraient certaines choses dans l'ombre. Il y aurait toujours une région plus obscure, une contrée que mes propres limites m'empêcheraient de visiter. Je devais accepter ces limites et ces possibilités, ce paradoxe qui était la Némésis de mon père. La colère m'habita souvent au cours de la rédaction de cet ouvrage; il m'arriva même de pleurer; et bien que ce livre dans son ensemble puisse paraître serein, chacune de ses pages a connu ma rage ou mes larmes.

Lorsque je commençai à écrire, je ne vis tout d'abord, et dans l'ensemble, que les éléments négatifs de ma relation avec mon père. Je savais qu'il m'avait légué son autodestruction par le biais de l'alcool et que son comportement avait encore un effet néfaste sur moi. Bien qu'étant convaincue qu'il existait un côté positif à mon expérience — que ce soit chez mon père ou dans les conséquences que sa conduite avait eues sur moi —, je n'arrivai pas, dans les premières étapes de la rédaction de cet ouvrage, à le trouver. Le dernier chapitre de mon livre, «La réhabilitation du père», est long- temps resté en chantier. Le fait de commencer cet ouvrage en partant d'un point de vue théorique m'a aidée à prendre quel- que distance à l'égard de mes conflits intimes. À travers la description des différents modèles et des archétypes fonda- mentaux, je compris mieux l'influence de ces derniers sur ma vie et sur celle de mes clientes. Mes sentiments positifs à propos de mon père n'émergèrent que lorsque je commençai à relater mon histoire personnelle. J'entrevis la possibilité d'un monde magique auquel ses attitudes m'avaient permis de croire lorsque j'étais une petite fille, possibilité qui plus tard apparut dans mon rêve de Zorba, dans celui du temple tibétain et dans l'anneau orné d'une opale. Cet homme personnifiait la promesse d'une envolée magique. Mais il était comme Icare qui, ne connaissant pas ses limites, vola si près du soleil que la chaleur de celui-ci fit fondre la cire qui maintenait ses ailes, le précipitant ainsi dans la mer et dans la mort. Mon père, lui, avait noyé sa magie dans l'alcool. Mais il m'en avait donné une partie, c'était là le côté positif de l'héritage qu'il m'avait laissé. Hélas, tandis qu'il se transformait en moi, je vis fondre cette magie, qui dégénéra. Ma réaction avait d'abord été de nier cette promesse magique en tentant d'avoir le contrôle sur toute chose. Et, lorsque cette prise de contrôle se désintégra, je m'identifiai au côté autodestructeur de mon père. Mes choix étaient soit une prise de contrôle stérile soit la dissolution dionysiaque. Le fait de reconnaître ces deux extrêmes en moi-même me permit d'analyser mes modèles psychologiques, que je nommai l'éternelle adolescente (*puella aeterna*) et l'amazone. Mais la solution, la rédemption se trouvaient dans les représentations de Zorba, du temple tibétain et de l'anneau orné d'une opale. Mon retour à la magie de mon père aurait lieu si je permettais à ces images de prendre vie à l'intérieur de moi-même.

Ceci est mon conte personnel de la fille blessée. Mais dans mon activité de thérapeute, j'ai découvert que beaucoup d'autres femmes souffrent du même genre de relation avec leur père, même si leur blessure et les détails de cette relation sont différents. J'ai entendu, de la bouche de la plupart de mes clientes, ma propre histoire: un père alcoolique, la méfiance envers les hommes qui en a résulté, les problèmes de honte, de culpabilité et de manque de confiance. D'autres, par contre, m'ont appris que leur père, strict et autoritaire, leur avait donné une sorte de stabilité, un sens de la discipline et de l'ordre, mais qu'il ne leur avait pas offert suffisamment d'amour et d'affection; qu'il avait nié leur féminité. Certaines d'entre elles avaient eu un père déçu de ne pas avoir de fils et qui avait fait d'elles (surtout si elles étaient les premières nées) des garçons, en quelque sorte; ces pères espéraient que leur «garçon» accomplirait ce qu'ils n'avaient pu réaliser dans leur propre vie. Enfin, il y avait les filles trop aimées par leur père, si aimées qu'elles étaient devenues un substitut de la maîtresse absente. En général, ces femmes étaient tellement prisonnières de l'amour de leur père qu'elles ne se sentaient pas libres d'aimer un autre homme et ne parvenaient pas à s'épanouir. J'ai également entendu l'histoire de ces femmes dont le père s'est suicidé et qui ont dû lutter contre leur héritage d'autodestruction et de désirs suicidaires. Les femmes dont le père est mort jeune ont leur propre blessure, faite du sentiment d'avoir été abandonnées. Et les femmes dont le père était malade se sont souvent senties culpabilisées par ce dernier en raison de son état. Il y a aussi les filles brutalisées par leur père, que ce soit par des coups ou par des violences sexuelles. Et celles dont le père courbait l'échine devant une épouse trop forte, tout en laissant celle-ci dominer leur fille.

La liste des blessures est interminable. Il existe en outre un danger: celui de condamner les pères. Cela serait oublier un facteur important: ces pères ont eux aussi été blessés, à la fois dans leur aspect féminin et dans leur masculinité. La guérison, pour les femmes, consiste à ne pas se laisser happer par les sables mouvants de la rancune. La rancune les figerait pour toujours dans les rôles de prisonnières passives, de victimes incapables d'assumer la responsabilité de leur existence. Je crois qu'il est essentiel pour ces femmes blessées de comprendre pourquoi leur père n'a pas été capable d'accomplir ce qu'elles attendaient de lui et de quelle manière cette paternité défaillante a affecté leur vie. Les filles doivent se rapprocher de leur père de manière à développer une image positive de celui-ci à l'intérieur d'elles-mêmes — une image dont elles puissent tirer force et exemple, et qui leur permettra d'apprécier le côté positif de la masculinité dans le monde intérieur aussi bien qu'extérieur. Il faut qu'elles trouvent la perle cachée, le trésor que leur père peut leur offrir. Si la relation avec le père s'est détériorée, il est important pour la femme de comprendre la nature de la blessure qui en a résulté, afin de découvrir ce qui a fait défaut et de faire en sorte que cet élément puisse se développer à l'intérieur d'elle-même. Aussitôt que la blessure est analysée, elle doit être acceptée, car c'est grâce à cette acceptation que la compassion et la guérison sont possibles — pour la fille, pour le père et pour ce qui les a unis.

I

LA BLESSURE

mon père n'était pas dans le livre du téléphone
de ma ville;
mon père ne dormait pas dans le même lit que ma mère
dans ma maison;
ça lui était égal que j'étudie le
piano;
ça lui était égal que je fasse n'importe quoi;
et moi je me disais que mon père était beau et je l'aimais
*   et me demandais*
pourquoi
il m'avait laissée si souvent toute seule
pendant toutes ces années.
mon père m'a fait ce que je suis
une femme solitaire,
sans but, comme l'enfant solitaire
que j'étais, l'enfant sans père. J'errais avec des mots, des
mots, et des noms, des noms. Père n'était pas
un de mes mots.
Père n'était pas
un de mes noms.

Diane Wakoski,
The Father of My Country.

CHAPITRE PREMIER

LA BLESSURE DU PÈRE
ET DE LA FILLE

*Que tous les fléaux qui dans l'air ondoyant
planent fatidiques au-dessus des fautes
humaines tombent sur tes filles!*

Shakespeare,
Le roi Lear.

Chaque semaine, des femmes blessées entrent dans mon bureau avec la souffrance que leur donne la pauvre image qu'elles ont d'elles-mêmes, leur incapacité de vivre en société et d'avoir une relation durable ou leur manque de confiance en leurs aptitudes professionnelles. En surface, elles semblent avoir du succès — femmes au foyer épanouies, étudiantes désinvoltes, divorcées volages. Mais on ne tarde pas à distinguer, sous le vernis du succès ou de la satisfaction, le moi blessé, le désespoir caché, les sentiments de solitude et d'isolement, la peur du rejet et de l'abandon, la rage et les larmes.

La blessure de la plupart de ces femmes provient de leur relation manquée avec leur père. Mauvaise relation avec leur père biologique ou avec cette société patriarcale qui fonctionne comme un père insatisfaisant, dévaluant constamment la femme. Dans l'un comme dans l'autre cas, l'image que les femmes ont d'elles-mêmes, leur identité féminine, leur relation à la masculinité et leurs possibilités de s'accorder avec le monde sont fréquemment endommagées. Je prendrai l'exemple de quatre femmes. La relation qu'elles ont eue avec leur père est différente; le mode de vie qu'elles ont adopté ensuite l'est également. La seule chose qu'elles partagent, c'est un père inadéquat. Elles ont également en commun les conséquences désastreuses qui en résultent, qui affectent leurs relations, leur capacité de vivre et de s'épanouir, et leur vie en société.

Christiane est une femme d'affaire brillante. Elle a près de quarante ans et est l'aînée de trois filles. À l'école, c'était une bûcheuse, toujours première de sa classe. Après avoir terminé l'université, elle fut engagée dans une compagnie prospère. Elle se montra si acharnée au travail qu'elle se vit offrir, à trente ans, un poste de direction. C'est à ce moment-là qu'elle commença à souffrir de maux de tête, d'insomnie et de surmenage chronique. À l'instar d'Atlas, elle semblait porter le monde sur ses épaules. Elle tomba bientôt dans le découragement et dans la dépression. Puis elle eut une série d'aventures avec des hommes mariés qu'elle rencontra dans des milieux de travail différents. Elle n'arrivait pas à établir une relation épanouissante. C'est à cette époque que le désir lui vint d'avoir un enfant. Elle perdit espoir dans l'avenir, sa vie n'étant plus faite que d'obligations professionnelles qui ne lui laissaient aucun répit en perspective. Ses rêves étaient peuplés d'enfants blessés ou mourants. Lorsqu'elle entra en thérapie, elle se sentit piégée par un perfectionnisme extrême et par une impossibilité de se laisser aller et de profiter de la vie. Elle se souvenait de son enfance comme d'une période malheureuse. Ses parents auraient voulu avoir un fils, pas une fille. Son père exigeait beaucoup de ses enfants. S'ils n'étaient pas les premiers de leur classe, ceux-ci savaient qu'ils encouraient le mécontentement de leur père. C'est pour lui plaire que Christiane travaillait avec autant d'acharnement. Au lieu de jouer avec ses amis, elle étudiait. Elle adopta la profession de son père. Étant donné qu'elle était l'aînée, celui-ci semblait attendre davantage d'elle que de ses sœurs. Et lorsqu'elle travaillait bien, il la récompensait en l'emmenant au bureau et en lui consacrant une partie de son temps. Lorsqu'elle atteignit l'adolescence, il devint très sévère, lui permettant rarement de sortir et critiquant ses petits amis. La mère de Christiane acceptait l'autorité de son mari, le soutenant entièrement dans toutes ses décisions.

En fait, Christiane vivait la vie de son père et non la sienne. Bien qu'elle se fût rebellée contre quelques-unes des valeurs de cet homme en ayant des rapports sexuels avec des garçons et en fumant de la marijuana, elle s'était néanmoins efforcée de se conformer à son idéal de travail et de réussite. Elle vivait ainsi la vie que le «fils» de son père aurait menée.

Lorsqu'elle comprit cela, au cours de la thérapie, Christiane devint apte à se débarrasser de son perfectionnisme compulsif. Elle commença à explorer ses intérêts personnels et écrivit des nouvelles, activité que son père qualifia d'«inutile» et de «complaisante». Elle se fit de nouvelles relations et, bien qu'elle eût encore à lutter contre sa tendance au perfectionnisme, elle commença à se sentir pleine d'énergie et d'espoir envers la vie. Pour Christiane, se désolidariser des attentes de son père reste un effort permanent, mais plus elle s'y consacre, plus son individualité ressort.

Le cas de Barbara illustre un modèle différent de relation détériorée avec le père. Lorsque je la rencontrai pour la première fois, Barbara était étudiante et désirait faire sa maîtrise et son doctorat. Elle avait près de trente ans, en était à son deuxième divorce et sa vie avait été jalonnée par des avortements et de graves problèmes de drogue. Barbara souffrait d'embonpoint et sa relation avec l'argent était tout à fait malsaine. Bien que brillante et douée, elle était indisciplinée et incapable d'utiliser ses capacités. À la fin de chaque semestre, ayant été incapable de terminer ses travaux de fin de session, elle demandait à ses professeurs de ne pas la coter et de lui permettre de recommencer à zéro. Les notes d'honoraires impayées, pour son analyse, ne tardèrent pas à représenter plusieurs centaines de dollars. En proie à la culpabilité, elle souffrait de graves crises d'anxiété.

Barbara n'avait pas eu de modèle de discipline et de réussite. Son père était à la guerre lorsqu'elle était enfant.

Lorsqu'il revint, il se montra incapable de conserver un emploi et se mit à jouer. Il ne parvint jamais à accomplir quoi que ce soit de permanent. Sa mère était une pessimiste qui ne cessait de déclarer à sa fille que lorsqu'on rate un premier mariage, on rate sa vie. La combinaison de ces deux éléments — père peu fiable et mère pessimiste et déprimée — privait Barbara d'un modèle adulte de réussite. Ses rêves étaient épouvantables. De dangereux psychopathes voulaient tuer ou estropier des jeunes femmes sans défense. Elle était parfois leur victime. Barbara, dans sa vie sans morale et sans structures, faisait écho au comportement de son père. Elle s'adaptait également aux projections négatives de sa mère et s'inclinait devant la pauvre idée que celle-ci se faisait des femmes en général.

Lorsqu'elle comprit qu'elle reproduisait le comportement de son père et obéissait aux projections de sa mère, elle commença à se défaire graduellement de ses habitudes de vie afin de briser avec ses modèles et de trouver sa propre voie. Elle apprit d'abord à établir un budget, s'acquitta de sa dette envers son analyste et parvint même à économiser une somme appréciable pour ses études. Tout cela exigeait bien entendu qu'elle rompe avec la drogue, responsable de tant d'argent englouti. Elle arriva enfin à remettre ses travaux à temps et rédigea une dissertation remarquable. Pour couronner le tout, elle apprit à maîtriser son appétit et perdit douze kilos. Ces succès la convainquirent de sa capacité de mener à bien ses projets et lui firent prendre conscience de sa force. C'est au cours de ce cheminement que l'image qu'elle avait des hommes et de son père commença à changer. Dans ses rêves, les meurtriers se transformèrent en hommes dévoués aux femmes. Dans l'un de ceux-ci, son père lui offrit une robe de prix, délicatement brodée, tribut à l'émergence de sa nouvelle image féminine.

Il arrive souvent que des femmes ayant eu un père indulgent mais malchanceux veuillent compenser les insuccès du père par leur propre réussite. Le père de Suzanne l'aimait énormément. Ils s'entendaient comme larrons en foire; leur relation était faite de jeux, de taquineries. Ils avaient souvent l'air de flirter. Le père consacrait plus de temps et d'énergie à sa relation avec sa fille qu'à sa relation avec son épouse. La mère de Suzanne était une femme très ambitieuse qui aurait voulu que son mari accomplisse de grandes choses. Mais c'était un homme simple qui avait un tel appétit pour la vie que sa profession passait au second plan. Sa femme en était profondément déçue. Inconsciemment, Suzanne éprouvait la même déception et essayait de compenser les manques de son père par son perfectionnisme. Ce dernier, dominé par sa femme, ne s'opposait pas vraiment aux attentes ambitieuses de celle-ci à l'égard de sa fille. En conséquence, Suzanne put réaliser les ambitions trahies de sa mère. Piégée par l'attitude perfectionniste, arriviste et dominatrice de cette femme, elle perdit contact avec son côté insouciant et puéril. La tension qui en résulta était si forte qu'elle ne tarda pas à souffrir de maux de dos durant la journée, d'insomnie et de grincements de dents la nuit. Quoi qu'elle fît, ce n'était jamais assez bien. Malgré tout l'amour qu'elle portait à son père, elle se disait que les hommes étaient des faibles et des bons à rien. À l'instar de sa mère, Suzanne aurait voulu épouser un homme ambitieux et capable de gagner beaucoup d'argent, mais cela ne l'empêchait pas d'être attirée par les gais lurons qui, comme son père, se révélaient trop peu fiables pour une relation durable. Tout comme elle se dévalorisait à ses propres yeux, elle considérait ses amants comme étant incapables de répondre à ses exigences perfectionnistes. À quarante ans, elle n'était toujours pas mariée. Elle essayait d'avoir la mainmise sur tout ce qui touchait à son travail et à ses relations personnelles, mais elle ne récoltait qu'ennui et dépression. Sa vie sans joie l'ayant rendue amère, elle arbora une attitude désespérée de martyre sans espoir. C'est à cette époque qu'elle commença à se dire qu'une tâche supplémentaire dans sa vie professionnelle lui serait fatale, qu'elle était sur le point de s'effondrer sous le poids de ses responsabilités. Dans ses rêves, cependant, apparaissaient des images positives qui démontraient un tout autre état d'esprit. Dans l'un d'eux, après qu'elle eut choisi le moyen le plus difficile mais le plus rapide de se rendre là où elle voulait aller, une voix lui souffla de ralentir son allure et d'emprunter un chemin plus facile, lui affirmant qu'elle arriverait malgré tout à temps. Dans d'autres rêves, elle flottait paisiblement sur une rivière.

Suzanne commença à réaliser que son besoin de domination appartenait beaucoup plus à sa mère qu'à elle-même. Elle prit également conscience de ce que la dépression dans laquelle elle tombait à chaque échec ressemblait à celle qui accablait son père lorsque son épouse le critiquait. Elle se rendit compte qu'elle avait souvent joué le rôle de «maîtresse» de son père, et que cela l'empêchait d'établir une relation avec d'autres hommes. Elle se mit alors en devoir de contrecarrer la voix intérieure qui jugeait négativement les autres autant qu'elle-même. Elle devint plus ouverte aux hommes et essaya de les connaître avant de les juger. Suzanne finit par rencontrer un homme tendre et affectueux. Elle fut néanmoins tentée, pendant quelque temps, de mettre fin à cette relation, car cet homme ne gagnait pas suffisamment d'argent, du moins pas autant qu'il l'aurait dû selon elle. Lorsqu'elle fut en mesure d'admettre que ces critiques lui étaient soufflées par sa mère intérieure, Suzanne fut capable de permettre à la relation de se développer.

Dans le cas de cette femme, la mère était la figure dominante. L'insuffisance du père consistait à ne pas s'opposer aux ambitions compulsives de sa femme. En un sens, il aimait trop «sa fille», et essayait par conséquent de la garder attachée à lui. Il fallait que Suzanne se rende compte de tout cela pour briser le lien étroit qui la liait à son père et pour déceler les effets néfastes de l'influence de sa mère.

Il arrive parfois, comme dans le cas de Mary, qu'une fille se rebelle contre un père autoritaire. Le père de Mary était dans l'armée et exigeait de ses enfants un comportement de soldat. La petite fille, qui avait un tempérament spontané et amical, se rebella contre l'attitude rigide de cet homme. Lorsqu'elle devint adolescente, elle commença à prendre du LSD et à fréquenter une bande de jeunes délinquants. Bien qu'elle eût des dons artistiques, Mary les négligea et abandonna l'université au cours de sa deuxième année. Son père perfectionniste et autoritaire souffrait d'une maladie chronique qui l'affaiblissait et en faisait un être vulnérable. Étant donné qu'il n'avait jamais reconnu cette vulnérabilité, Mary voyait en lui deux personnes différentes: le juge sévère et inflexible, et l'homme faible et malade. Les hommes qui

peuplaient ses rêves étaient des hommes impuissants au phallus minuscule et des hommes violents qui voulaient la
poignarder. Mary avait très vite compris que les impuissants
symbolisaient son manque de confiance en ses capacités, et
que les violents représentaient le manque d'estime qu'elle
éprouvait pour elle-même. La mère de Mary lui ressemblait,
c'était une femme sociable et chaleureuse, qui ne s'opposait
jamais à son mari.

Étant donné la bonne relation qu'elle avait eue avec sa
mère, Mary chercha d'abord réconfort auprès d'une femme
plus âgée. Mais elle avait tendance, dans cette relation, à
jouer le rôle de la bonne petite fille, d'autant plus que cette
dame adoptait, lorsqu'elle critiquait la jeune femme, le ton
autoritaire cher au père de Mary. Au cours de son analyse, la
jeune femme commença à acquérir plus de confiance en elle-
même et mis au jour le modèle double dans lequel elle était
enfermée: la révolte contre l'autorité du père et le moyen
qu'elle avait trouvé de s'y conformer en se soumettant à une
femme plus âgée, sévère elle aussi. Mary finit par s'affirmer
dans ses rapports avec cette même personne. Puis, tandis
que les hommes menaçants et impuissants se raréfiaient dans
ses rêves, elle s'engagea dans une relation avec un homme
équilibré, qu'elle finit par épouser. Elle acquit ainsi assez de
confiance en elle-même pour répondre à son amour de l'art et
commença à envisager une carrière dans ce domaine. Cette
force nouvelle lui permit même d'avoir une conversation
sérieuse avec son père qui, lors d'une rechute en raison de sa
maladie, reconnut sa vulnérabilité. Cet aveu instaura une relation émotive plus affectueuse entre le père et la fille.

Ce ne sont là que quatre exemples de femmes blessées
ayant souffert d'une relation endommagée avec leur père.
Mais il existe beaucoup de variations sur ce thème. Le rêve
suivant révèle l'état psychologique dans lequel se trouve, en
général, une femme blessée souffrant d'une mauvaise relation
avec son père.

> Je suis une petite fille enfermée dans une cage. Je tiens mon
> bébé dans mes bras. Je vois mon père, assis sur un cheval
> qui galope librement dans de vertes prairies. Je meurs

d'envie de le rejoindre et, sanglotant, j'essaie de sortir de la cage. Mais celle-ci s'effondre. Quand je me réveille, je ne sais pas si mon bébé et moi avons été écrasés ou si nous avons pu nous libérer.

Ce rêve illustre la séparation entre le père et la fille de même que l'emprisonnement de cette dernière et de sa potentialité créatrice. On y trouve également le désir de se connecter à l'énergie du père. Mais la fille doit d'abord sortir de la cage, ce qui n'est pas dépourvu de risques. Ou bien elle sera écrasée avec son bébé, ou bien elle sera libérée. Bien que ce rêve soit celui d'une femme en particulier, je crois qu'il dépeint remarquablement bien l'emprisonnement dont sont victimes les femmes qui ont une mauvaise relation avec leur père, emprisonnement qui les empêche de se faire une idée positive de la paternité.

La blessure de la fille peut être consécutive à différentes expériences. Il arrive que le père, par son extrême faiblesse, soit une cause de honte pour sa fille — par exemple un homme qui ne peut pas garder un emploi ou qui est soit ivrogne soit joueur. Ou il s'agit parfois d'un «père absent» qui a quitté la maison volontairement, comme «ceux qui aiment et s'en vont quand même». L'absence peut aussi être due à la mort, à la guerre, mais également au divorce ou à la maladie qui éloignent le père de sa famille. Cependant, un père peut aussi blesser sa fille en étant trop indulgent. Celle-ci perd alors le sens des valeurs, de l'autorité et des limites. Il arrive même que le père soit inconsciemment amoureux de sa fille et qu'il la garde ainsi attachée à lui. Ou qu'il soit condescendant et dévalue la féminité parce qu'il a sacrifié son côté féminin aux idéaux machos du pouvoir et de l'autorité masculine. Il s'agit parfois d'un travailleur acharné, accumulant les succès dans sa profession, mais passif à la maison et ne prenant pas le temps de s'occuper de sa fille, autrement dit un père indifférent. Quel que soit le cas, lorsque le père ne s'est pas occupé de sa fille d'une manière responsable et engagée, encourageant le développement de ses facultés intellectuelles, professionnelles et spirituelles et mettant en valeur l'unicité de sa féminité, il en résulte une blessure dans l'âme de cette dernière.

Le «féminin» est un terme couramment redécouvert et décrit par des femmes en fonction de leur propre expérience. Les femmes ont fini par comprendre que les hommes ont défini la féminité selon leurs projections inconscientes et les attentes conscientes que leur conditionnement culturel leur a inculquées en ce qui concerne le rôle des femmes. Contrairement à cette notion de féminité définie selon un schéma biologique et culturel, mon approche consiste à voir le «féminin» symboliquement, comme une manière d'être, comme un principe inhérent à la nature humaine. Mon expérience m'a appris que le féminin se révèle d'abord et avant tout par le biais d'images et d'émotions auxquelles je reviendrai constamment dans cet ouvrage[1].

La blessure de la fille n'est pas seulement un accident dans la vie de certaines femmes. Elle est également culturelle[2]. Là où l'on trouve une attitude patriarcale autoritaire qui dévalue le féminin en le réduisant à certains rôles ou aux qualités qui découlent non pas de l'expérience propre de la femme mais de la conception abstraite que l'on s'en fait, on trouve le père collectif écrasant la fille, l'empêchant de se développer à partir de sa propre individualité.

Que la blessure de la fille se soit formée dans le cadre de la famille, qu'elle soit culturelle ou les deux, elle constitue un problème majeur pour la plupart des femmes d'aujourd'hui. Beaucoup de femmes essaient de le contourner en rejetant la faute sur leur père ou sur les hommes en général. D'autres essaient de l'oublier en le niant et en se réfugiant dans des rôles féminins traditionnels. Mais ces deux attitudes les empêchent d'assumer la responsabilité de leur transformation, la première par l'entremise des reproches, la deuxième par celle de l'adaptation. Je crois qu'à l'heure actuelle le seul moyen qu'ont les femmes de se transformer est de prendre conscience de leur identité. Toutefois une partie de cette découverte implique un dialogue avec leur propre histoire, avec les éléments qui, au cours de leur développement, les ont influencées personnellement, culturellement et spirituellement.

Le développement émotionnel et spirituel d'une fille est profondément marqué par sa relation avec le père. Ce dernier est sa première figure masculine et le premier à façonner le rapport qu'elle va entretenir avec son côté masculin et, en fin de compte, avec les hommes. Étant donné qu'il est «différent», c'est-à-dire différent d'elle-même et de la mère, il façonne également la «différence» de sa fille, son unicité et son indivi-dualité. Le rapport qu'il entretient avec sa féminité aura un effet sur la manière dont elle se transformera en femme. L'un des rôles qui lui incombent est de la sortir du nid douillet que représente la maison et la mère pour l'emmener dans le monde extérieur. Il devra ensuite l'aider à affronter ce monde et ses contradictions. Son attitude envers le travail et le succès aura une grande influence sur celle qu'adoptera sa fille. S'il est sûr de lui, s'il réussit, ses succès rejailliront sur elle. Mais s'il vit dans l'anxiété et s'il échoue, elle adoptera vraisemblablement son attitude peureuse. Le père, tradition-nellement, projette ses idéaux sur sa fille. Il constitue un modèle d'autorité, de responsabilité, de pouvoir de décision, d'objectivité, d'ordre et de discipline. Lorsqu'elle est assez grande, il doit s'effacer afin qu'elle puisse intérioriser ses idéaux et les réaliser. Si le rapport que le père entretient avec ses idéaux est ou trop rigide ou trop complaisant, cela affec-tera ceux de sa fille[3].

Certains pères tombent dans la complaisance envers eux-mêmes. N'ayant pas établi leurs propres limites, étant dépour-vus d'ordre, de discipline personnelle et d'autorité sur eux-mêmes, ils constituent des modèles inadéquats. De tels hommes restent souvent des «éternels adolescents» (*puer aeternus*). Les hommes qui s'identifient avec ce dieu de la jeunesse restent enfermés dans l'un ou l'autre stade de l'adolescence[4]. Ils peuvent alors devenir des rêveurs romanti-ques refusant de faire face aux conflits matériels de l'exis-tence, incapables de prendre des engagements. De tels hommes ont tendance à se réfugier dans le royaume des possibilités, évitant le concret, menant une existence de velléitaire. Ils sont souvent proches des sources de la créati-vité et à la recherche de la spiritualité, mais leur année inté-rieure ne tournant qu'autour du printemps et de l'été, la profondeur et le renouveau qui font partie de l'automne et de l'hiver leur font défaut. Par disposition naturelle, ce type d'homme a tendance à être impatient. Il n'a pas développé la capacité de «s'accrocher», d'affronter des situations difficiles. Positivement parlant, il est souvent charmant, romantique et même stimulant, car il démontre qu'esprit veut dire possibilité, étincelle de création, quête. Mais si on le considère d'un point de vue négatif, ces tendances l'empêchent de mener à bien ses projets car il veut éviter les difficultés, le travail terre à terre et l'effort nécessaire pour réaliser le possible. On trouve des exemples de ces éternels adolescents chez les drogués dépendants, les hommes qui ne peuvent pas travailler, les don Juans, les hommes qui ne sont que les fils passifs de leur épouse et ceux qui séduisent leur fille par leur comportement romanesque. Quelques-uns d'entre eux réussissent étonnamment bien pendant une brève période, comme James Dean et le chanteur rock Jim Morrison, jusqu'à ce qu'ils succombent à leurs tendances autodestructrices, laissant derrière eux une légende, quand ce n'est pas un culte mettant en valeur l'archétype fascinant qu'ils constituent.

Les filles de ces éternels adolescents grandissent privées d'un modèle adéquat d'autodiscipline, d'autorité et de mesure. Elles souffrent souvent d'insécurité, d'instabilité, de manque de confiance en elles-mêmes, d'anxiété, de frigidité et, en général, d'une faiblesse de l'ego. En outre, si leur père était manifestement faible (comme dans le cas de l'homme qui ne peut conserver un emploi, ou dans celui du drogué ou de l'alcoolique), la fille ressentira vraisemblablement de la honte. Et si elle a honte de son père, elle projettera sans doute cette honte sur elle-même. Dans un tel cas, il est probable qu'elle construira inconsciemment une image idéale de l'homme et du père, et sa vie pourra devenir une recherche de ce père idéal. Dans cette quête, elle s'attachera sans doute à un «amant fantôme», qui est en fait l'homme idéal n'existant que dans son imagination[5]. Quant à sa relation avec les hommes, en particulier dans le domaine de la sexualité, elle sera, selon toute vraisemblance, perturbée. Le manque d'engagement dont son père a fait preuve envers elle engendrera un manque de confiance envers les hommes en général, qui s'étendra également au domaine de la spiritualité, c'est-à-dire, pour employer une métaphore, à «Dieu le père». À un niveau plus profond, elle souffre donc d'un problème spirituel, son père n'ayant manifesté aucun sens de la spiritualité. Le problème est de savoir comment elle va la trouver. Anaïs Nin a dit de son père: «Je n'ai pas de guide. Mon père? Il me fait l'effet d'avoir mon âge.»[6]

D'autres pères pèchent par excès de rigidité. Durs, froids et parfois indifférents, ils asservissent leur fille par le biais d'une attitude arbitrairement autoritaire. La plupart du temps, ces hommes ont refusé de vivre en accord avec leur force vitale; ils nient leur côté féminin et leurs sentiments. Ils attachent beaucoup plus d'importance à l'obéissance, au devoir et à la raison et exigent que leur fille adopte les mêmes valeurs. L'obéissance à l'ordre établi devient leur loi. Ils considèrent avec méfiance et suspicion tout écart par rapport aux normes instaurées par la société. Ces pères deviennent souvent des vieillards dominateurs, amers, cyniques et desséchés. Étant donné leur rigidité et leur étroitesse d'esprit, ils supportent mal l'imprévu, la créativité et les sentiments quels qu'ils soient. Face à eux, ils ont recours au sarcasme et à la dérision. Le côté positif de leur sens du devoir et de l'autorité est qu'il engendre un sentiment de sécurité, de stabilité et d'ordre. Quant au côté négatif, il est responsable du rejet des qualités féminines: sensibilité, spontanéité et intuition. Quelques exemples extrêmes de pères se comportant en patriarches dominateurs peuvent être trouvés parmi ces patriarches qui tiennent les cordons de la bourse, exerçant une emprise financière sur leur femme et leurs enfants. Ces pères font la loi, exigent une obéissance aveugle, attendent de leur fille une réussite sociale extraordinaire tout en lui demandant de se conformer aux rôles féminins conventionnels. Ces pères n'admettent aucun signe de faiblesse physique ou mentale. Ils veulent leurs enfants pareils à eux.

Quand elles deviennent femmes, les filles de ces patriarches dominateurs se sentent souvent incapables d'entretenir une relation normale avec leurs instincts féminins, leur père n'ayant jamais vraiment reconnu leur féminité. Étant donné leur enfance sans douceur ni indulgence, elles se montrent fréquemment dures envers elles-mêmes et envers les autres. Lorsqu'il leur arrive de se révolter, on décèle souvent dans cette rébellion quelque chose d'implacable et de cinglant. Il y a des filles qui se soumettent entièrement à l'autorité et demeurent incapables de vivre leur propre vie; d'autres qui, malgré leur révolte, restent soumises à leur père, ne vivant qu'en fonction de lui; et puis il y a ces filles de pères trop indulgents qui ne peuvent avoir de relation saine ni avec un homme ni avec leur esprit créateur. Les deux modèles de père que je viens de décrire sont des cas extrêmes. Mais la plupart des pères sont un mélange de ces deux modèles. Et même si un père a suivi toute sa vie l'un de ces deux modèles, il vit souvent l'autre inconsciemment[7]. On pourrait citer beaucoup de pères rigides et autoritaires qui ont soudainement plongé dans l'irrationnel, obéissant à des accès émotionnels menaçant l'ordre et l'équilibre qu'ils avaient établis et provoquant chez leur fille une terrible peur du chaos. Le domaine des sentiments n'ayant pas été consciemment reconnu par le père, bien qu'il ait été submergé par ceux-ci de temps à autre, il paraît d'autant plus effrayant à ses enfants. Ces accès de rage ont parfois des connotations sexuelles — par exemple lorsque le père inflige une punition corporelle à sa fille désobéissante de telle manière qu'elle se sente menacée sur le plan sexuel. Ainsi, tandis que le père ne pense qu'au devoir, tout à son discours conformiste, il peut au fond de lui-même être la proie d'états d'esprit et de pulsions puériles qui surgissent de son inconscient à des moments tout à fait inattendus. De la même manière, des pères indulgents abritent parfois au plus profond d'eux-mêmes un cynisme persifleur qui fait d'eux des juges étroits d'esprit. De tels pères peuvent se retourner contre leur fille, la critiquant pour cette spontanéité qu'ils détestent en eux-mêmes.

Le rôle que joue la mère est bien entendu un facteur important dans le développement de la fille[8]. Mais le propos de ce livre étant centré sur la relation père-fille, je n'approfondirai pas l'influence de la mère, me contentant d'y faire allusion lorsque cela sera nécessaire. Il arrive souvent que l'on trouve certaines combinaisons particulières dans un mariage. Le père éternel adolescent a souvent une «mère» pour épouse. Dans ce cas, c'est elle qui fait la loi et qui tient les rênes de la famille. C'est elle, et elle seule, qui est le dépositaire des valeurs, de l'ordre et de l'autorité qui sont habituellement l'apanage du père. Ces mères sont parfois plus sévères que le patriarche le plus rigide. Et à ce comportement s'ajoute la force de leurs émotions féminines. Lorsque le père est faible et indulgent et la mère forte et autoritaire, la fille a un double problème. Non seulement son père est incapable de lui servir de modèle masculin, mais il ne peut tenir tête à sa femme et aider ainsi sa fille à se différencier de sa mère. La fille risque alors de rester liée à sa mère et de s'identifier à elle. Dans ce cas, il est vraisemblable qu'elle adoptera inconsciemment les attitudes rigides de cette dernière. En outre, lorsque la mère occupe la place du père, il arrive parfois que la fille ne reçoive ni maternage ni «paternage» réel.

Une autre combinaison de couple associe le patriarche rigide et la petite fille. Dans ce cas, et la fille et la mère sont dominées. Cette dernière, dans sa passivité, ne constitue pas un modèle d'indépendance féminine authentique. La fille répétera alors, selon toute vraisemblance, ce modèle de dépendance féminine. Si elle se rebelle, cette révolte ne sera qu'une réaction contre l'autorité paternelle et non pas une affirmation de ses besoins et de ses valeurs féminines.

Lorsque le père et la mère sont tous deux d'éternels adolescents, comme Scott et Zelda Fitzgerald, par exemple, ils constituent l'un et l'autre un modèle insuffisant de stabilité, d'autorité et de rigueur. L'engagement de tels parents est souvent précaire, et le mariage comme la famille risquent de se dissoudre, laissant la fille se débattre dans le chaos et l'anxiété. Lorsqu'il s'agit d'un père et d'une mère rigides, tenant tous les deux les rênes de la famille, la fille n'a pas accès aux sources de la spontanéité et des sentiments.

Que ce soit en moi-même ou dans mes clientes, j'ai trouvé deux modèles opposés résultant fréquemment d'une relation endommagée avec le père. Ces deux modèles se retrouvent souvent dans la psyché des femmes blessées, où ils s'affrontent. L'un de ces modèles s'appelle l'«éternelle adolescente» ou (*puella aeterna*)[9], l'autre est l'«amazone». Ces modèles étant décrits en détail dans les chapitres suivants, je ne ferai que les aborder ici.

L'«éternelle adolescente», ou *puella*, est, d'un point de vue psychologique, une jeune fille, qu'elle ait vingt ou soixante-dix ans. Elle reste une fille dépendante, qui a tendance à accepter l'image que les autres se font d'elle. Ce faisant, elle abandonne aux autres le pouvoir et la responsabilité de forger son identité. Elle épouse souvent un homme autoritaire et se conforme à l'image qu'il se fait de la femme. Elle a souvent l'apparence d'un être sans défense, innocent et passif. Lorsqu'elle se révolte, elle n'en reste pas moins une victime en proie à la dépression; elle a pitié d'elle-même et sombre dans l'inertie. Dans un cas comme dans l'autre, elle n'est pas maîtresse de sa vie.

J'ai trouvé, dans les rêves de ces femmes, quelques images récurrentes. Le thème de l'un d'eux est la perte d'un portefeuille contenant des cartes d'identité et de l'argent. Une de mes clientes a ainsi rêvé un jour que son petit ami l'avait quittée. Alors qu'elle essayait de rentrer chez elle, elle se rendait compte qu'elle n'avait pas d'argent. Le seul moyen de transport dont elle disposait était un autobus scolaire. Le fait de se trouver sur le siège arrière de sa propre voiture alors que le père est au volant et que l'on se sent à sa merci et sans aucune possibilité d'intervenir est un autre thème fréquent révélant une dépendance de base. Une autre image courante dans les rêves des éternelles adolescentes est celle d'un vieil homme méchant qui les poursuit, les menace et exerce sur elles une domination brutale. Une jeune femme avec laquelle je travaillais a rêvé qu'elle était sur le plongeoir supérieur d'une piscine. Un vieil homme sadique exigeait qu'elle accomplisse des plongeons de plus en plus périlleux. Si elle refusait de se plier à ses demandes, elle mettrait sa vie en danger. Les motifs de ces rêves révèlent le danger de perdre sa propre source d'énergie et son identité (symbolisé dans les rêves par la perte d'argent et du portefeuille), et le contrôle que l'on a sur sa propre existence (symbolisé par le fait que l'on ne conduit pas la voiture). Ils mettent également en garde contre l'incapacité de refuser d'obéir à des ordres déraisonnables (symbolisée par les ordres donnés par l'homme sadique).

L'éternelle adolescente, en général, n'a pas plus réussi à s'identifier aux qualités qu'un père positif peut aider à développer qu'elle n'a réussi à intégrer ces qualités: conscientisation, discipline, courage, pouvoir de décision, autovalorisation et détermination. La plupart des femmes, dans notre culture, se sont souvent trouvées dans cette position car leurs «pères culturels» ne les ont pas encouragées à développer ces qualités. On a en fait essayé de les décourager de se développer en ce sens. Le résultat est désastreux; les femmes se sentent faibles, sans défense et sans ressources, elles ont peur d'échouer et se sentent écrasées par des patriarches dépassés. J'ai ressenti le pouvoir de ces modèles en moi-même et il est présent dans la vie de beaucoup de femmes enfermées dans celui de l'éternelle adolescente. C'est comme si le côté masculin d'une femme était divisé en deux catégories opposées: le jeune garçon faible et le vieil homme sadique et pervers. Cette combinaison empêche une femme de se développer car ces deux figures masculines travaillent secrètement ensemble dans l'inconscient. La voix du vieil homme pervers dit: «Tu es incapable de te débrouiller car tu n'es qu'une femme», et le garçon faible et sensible se livre à ces sentiments de faiblesse qui empêchent la femme de se sortir du modèle destructeur. Combien de fois des femmes se sont-elles laissées aller à des sentiments négatifs consécutifs à la conviction qu'elles ne peuvent créer, ou que tous les hommes sont mauvais et ne peuvent que les trahir. Pas étonnant qu'elles abandonnent la lutte!

Un modèle tout à fait différent se développe chez l'«amazone». Il fait son apparition en réaction à un paternage inadéquat, que ce soit sur le plan personnel ou culturel. En protestant ainsi contre un père insuffisant, les filles s'identifient souvent, sur le plan de l'ego, avec les fonctions masculines ou avec le paternage lui-même. Leur père ne leur ayant pas donné ce dont elles avaient besoin, elles se disent qu'elles pourront se procurer elles-mêmes ce qui leur manque et se construisent une forte identité masculine en se battant pour une cause ou pour une réussite quelconque, ou en occupant un poste de direction, ou en imposant leur loi. Certaines d'entre elles, un fois mères, tiennent les rênes de la famille comme s'il s'agissait d'une affaire commerciale. Mais cette identité masculine n'est souvent qu'une carapace protectrice, une armure contre la souffrance qu'elles ont vécue à la suite de l'abandon ou du rejet dont elles ont été victimes de la part de leur père, une armure contre leur besoin de douceur, leurs faiblesses et leur vulnérabilité. Cette armure les protège effectivement dans la mesure où elle les aide à s'accomplir sur le plan professionnel et à imposer leurs vues dans le monde des affaires. Mais elle fait aussi obstacle à leurs sentiments féminins. Ces femmes s'éloignent alors de leur esprit créateur, s'interdisant une relation saine avec un homme ou se coupant de leur spontanéité et de leur capacité de vivre dans le moment présent.

Je rencontre chaque jour des femmes qui ont réussi socialement et professionnellement et qui sont financièrement indépendantes. Vues de l'extérieur, elles paraissent fortes, sûres d'elles-mêmes, confiantes en l'avenir et en leur pouvoir. Mais entre les murs protecteurs du bureau du thérapeute, elles avouent leurs larmes, leur fatigue, leur découragement et leur terrible solitude. L'image de l'armure est souvent présente dans leurs rêves. L'une de ces femmes me raconta qu'elle avait rêvé d'un faible petit homme, fatigué de vivre et sur le point de mourir. Il était recouvert d'une armure et portait un casque; il avait à la main une épée et un bouclier. Quelque temps après, tandis qu'elle se débarrassait de sa carapace inutile, elle rêva d'un trésor constitué de diamants caché sous une pile de coquilles d'huître. Ce qui lui importait à ce moment-là était de vivre dans le moment présent et de s'ouvrir à une relation; elle reprenait contact avec sa douceur féminine et se sentait plus paisible. La coquille de l'huître était ouverte et le pouvoir que la dureté du diamant authentique confère à cette pierre était enfin accessible.

Dans les rêves d'une autre femme, le thème de l'armure apparut sous la forme d'épais manteaux d'hiver. Revêtue de l'un d'eux, elle quittait le foyer de son enfance en plein été, emportant avec elle de gros cintres en bois destinés à accrocher ses manteaux. Mais elle se rendait compte soudain que ces derniers avaient disparu. Elle avait le sentiment qu'elle avait perdu ce qui devait la protéger. Deux jeunes hommes insouciants la suivaient, prêts à faire les quatre cents coups. Elle avait peur d'eux. Alors elle pressait le pas pour s'éloigner, mais ils se rapprochèrent en gambadant et la rejoignirent. L'un d'eux défit le lacet de sa chaussure. Elle était terrifiée. Après avoir couru pour s'échapper, elle entra dans une maison inquiétante remplie de femmes paralysées et folles. Inutile de dire qu'elle s'éveilla en proie à un sentiment d'horreur. En fait, cette femme avait besoin de se défaire du manteau d'hiver qui lui servait de carapace et d'apprendre à jouer avec les jeunes garçons insouciants, mais ceux-ci lui faisaient peur.

La femme recouverte de l'armure de l'amazone est aussi éloignée de son *centre* que l'éternelle adolescente. En fait, ces deux modèles ont tendance à coexister dans la plupart des femmes. En ce qui me concerne, l'amazone s'est manifestée la première. Mais derrière elle se trouvait la petite fille effrayée qui finit par émerger pour s'enfuir ensuite, incapable de se fixer ici ou là, incapable de s'engager envers qui que ce soit. D'autres femmes ont commencé par être des épouses soumises et charmantes pour se transformer ensuite en adversaires furieuses et tenaces. Chez la plupart des femmes, les deux modèles alternent, parfois à intervalles rapprochés. Une conférencière très demandée avait parfois l'impression d'être une petite fille fragile. Elle était terrorisée à l'idée de s'évanouir devant son public. Cette peur côtoyait la confiance en elle-même que lui procuraient ses compétences et le fait qu'elle était une autorité dans son métier. Cette jeune femme était parfois ébahie lorsqu'elle constatait que des gens, et en particulier des hommes, la considéraient comme un être fort et compétent, alors qu'à l'intérieur d'elle-même elle se sentait timide et peureuse.

Les raisons pour lesquelles une femme suit d'abord le chemin de l'éternelle adolescente alors qu'une autre s'engage sur la route de l'amazone n'ont pas cessé d'être pour moi une question primordiale, à laquelle je n'ai pas encore trouvé de réponse. Mon intuition me dit qu'une série de facteurs jouent un rôle dans la direction qu'une femme va prendre. Le tempérament, la position occupée dans la famille et le rôle qu'elle y a joué semblent en être les facteurs principaux. La relation avec la mère en est un autre. L'aspect physique, la couleur de la peau et les conditions socio-économiques sont également importants. Il apparaît très souvent que les filles aînées ont tendance à prendre la route de l'amazone, tandis que les plus jeunes demeurent des éternelles adolescentes. Mais ce n'est pas toujours le cas. Le fait que l'on s'identifie au père ou à la mère, en imitant le comportement du parent dominant ou en se rebellant contre lui, constitue un autre facteur déterminant. Selon moi, ces deux modèles (l'éternelle adolescente et l'amazone) sont présents dans la plupart des femmes, bien que l'un puisse être plus actualisé que l'autre.

La condition de l'éternelle adolescente et celle de l'amazone plongent souvent celles-ci dans le désespoir. Elles se sentent éloignées de leur *centre* parce qu'elles n'ont pas accès à d'importantes parties d'elles-mêmes, comme si elles possédaient un manoir dans lequel elles ne disposeraient que de quelques pièces.

Kierkegaard, le philosophe, m'a aidée à comprendre, pour mon propre compte et pour celui de mes clientes, quelle était la source de cette aliénation et de ce désespoir. Dans *La maladie à la mort*, il décrit le désespoir comme une rupture de la relation avec le moi, avec ce qui fait de nous des êtres humains[10]. Pour le philosophe, il existe trois formes majeures de désespoir: le désespoir inconscient, le désespoir conscient qu'il appelle «désespoir-faiblesse» et le désespoir, conscient lui aussi, qui se traduit par le défi.

Dans la forme inconsciente du désespoir, la personne n'a pas conscience d'avoir un moi. Une telle personne, selon Kierkegaard, se réfugie dans une vie hédoniste, se dispersant dans une série de sensations éphémères et n'acceptant aucun engagement qui soit commandé par autre chose que par les pulsions de l'ego. On peut parler alors d'esthétisme et de donjuanisme, types d'existence dans lesquels les êtres ne réalisent pas consciemment qu'ils sont en proie au désespoir, bien que, comme Kierkegaard le démontre, la compulsion dans la recherche des sensations fortes et du plaisir conjuguée avec de sombres moments d'ennui et d'anxiété ne puisse que déboucher sur un malaise certain.

Si une personne permet à ses sombres moments d'ennui et d'anxiété de pénétrer complètement dans sa conscience, son désespoir apparaît en pleine lumière, ainsi que la connaissance de la non-relation avec son moi et le sentiment qu'elle est trop faible pour choisir ce dernier, car cette décision exigerait qu'elle accepte d'être forte. La personne se désespère alors de sa faiblesse et de son incapacité d'accomplir quelque chose qui aille au-delà des pulsions de son ego. Je suis sûre que beaucoup d'éternelles adolescentes souffrent intensément lorsque leur faiblesse leur paraît désespérée; elles voudraient être courageuses, prendre le risque de s'engager, de poser des actes, mais elles ont peur et sont incapables de faire le saut nécessaire.

Mais dès qu'une personne analyse les raisons de sa faiblesse, elle finit par comprendre que les excuses qu'elle se donne ne sont qu'un moyen d'éviter d'avoir recours à sa force potentielle. Ce que cette personne considérait originellement comme de la faiblesse n'était qu'un défi, autrement dit un refus de s'engager. Pour Kierkegaard, le désespoir qui se manifeste par le défi implique une conscience plus aiguë et la conviction que l'on possède la force de choisir le moi, ou, pour reprendre les paroles du philosophe, de faire le saut dans la foi, qui implique l'acceptation du transcendant et de ce qui échappe au contrôle, acceptation dénuée de tout sentiment de défi contre les pouvoirs qui transcendent la raison et les limites de l'homme. Quand on défie, n'est-ce pas parce qu'on refuse de changer? Dans le désespoir qui se manifeste par le défi, on refuse le possible et l'infini. Dans le désespoir qui se manifeste par la faiblesse, on refuse la réalité et le fini. Refuser l'un c'est refuser les deux. Le désespoir qui se manifeste par la faiblesse est un aspect de la personnalité de l'éternelle adolescente, tandis que celui qui se manifeste par le défi me semble être une composante de l'amazone. Pourtant, au bout du compte, ils sont secrètement les mêmes: les deux pôles d'un moi scindé.

Les femmes qui tombent dans le modèle archétypique de la *puella*, submergées par le désespoir que leur donne leur faiblesse, ont besoin de prendre conscience de leur force et de se débarrasser de leur identité de victime. Celles qui sont prises dans cette habitude qu'a l'amazone de tout prendre en main doivent comprendre que ce besoin d'avoir le contrôle sur tout est souvent une force illusoire. Il faut au contraire qu'elles s'ouvrent à ce qui échappe à leur contrôle. Pour Kierkegaard, la décision et le changement ne viennent que lorsque tous les stades du désespoir sont franchis grâce au saut dans la foi. Par ce saut, on accepte à la fois sa faiblesse et sa force, l'interpénétration du fini et de l'infini qui fait partie de l'existence même, et on prend conscience de ce que les êtres humains doivent se mouvoir d'un opposé à l'autre plutôt que de s'identifier à un absolu.

D'un point de vue thérapeutique, j'ai trouvé dans les travaux de C. G. Jung une aide essentielle dans la compréhension des situations que je viens de décrire. Jung pensait que la vie de chaque être humain forme un tout complexe et mystérieux. Mais le cours particulier de leur développement, subordonné à leurs expériences familiales, leurs influences culturelles et leur tempérament, amène certaines personnes à donner l'avantage à une partie de leur personnalité et à négliger celle où résident leurs conflits. Pourtant, ce côté qui s'oppose à l'autre et que l'on rejette veut lui aussi être reconnu. Il s'introduit alors dans le côté consciemment accepté, influant ainsi sur le comportement de la personne et perturbant ses relations avec ceux qui l'entourent. Jung pensait que chaque individu, dans la recherche de l'accomplissement personnel, devrait apprendre à voir la valeur de chaque aspect et essayer de les intégrer l'un à l'autre afin qu'ils puissent former un tout propice à l'épanouissement. Selon moi, il s'agit d'une excellente thérapie pour la femme blessée qui se trouve en conflit entre le modèle de l'éternelle adolescente et celui de l'amazone. Ils ont l'un et l'autre leur propre valeur. Ils peuvent avoir une action positive l'un sur l'autre. Et l'intégration des deux modèles constituera une base sur laquelle une femme nouvelle pourra s'épanouir.

La femme qui a été blessée à cause de sa mauvaise relation avec son père peut œuvrer dans le but de guérir sa blessure. Nous subissons certes l'influence de nos parents, mais ce n'est pas une raison pour accepter, comme une fatalité, de porter la marque qu'ils ont faite sur notre personnalité. Il existe dans la psyché, selon Jung, la possibilité d'un processus naturel de guérison qui peut conduire à l'équilibre et à la plénitude. On y trouve également des modèles de comportements que Jung appelle «archétypes» mais qui peuvent aussi servir de modèles intérieurs lorsque les modèles extérieurs sont absents ou insatisfaisants. Une femme a en elle-même, par exemple, toutes les potentialités de l'archétype du père, qui peuvent souvent être rejointes à condition qu'elle prenne le risque d'entrer en contact avec son inconscient. Ainsi, même si nos pères biologiques ou culturels ont façonné au départ l'image consciente que nous nous faisons de nous-mêmes en tant que femmes et l'idée que nous nous faisons de nos capacités et de ce que nous pouvons réaliser seules ou en relation avec un homme, nous possédons également en nous les aspects positifs et créateurs du père archétype intérieur qui peuvent compenser la plupart des influences négatives qui font partie de notre vécu. Ce potentiel permettant d'arriver à une meilleure relation avec le principe paternel est l'un des archétypes qui se trouvent en nous-mêmes. Les rêves mettent souvent au jour des facettes inconnues du père qu'il faut assumer afin d'arriver à une plus grande maturité et à la complétude. Les cas suivants illustrent ce point de vue.

Une de mes clientes avait grandi sous l'autorité d'un père rigide qui n'accordait aucune valeur au féminin. Il ne mettait l'accent que sur le travail acharné, la discipline et les occupations masculines. Il n'admettait ni faiblesse ni vulnérabilité, quelles qu'en soient les raisons. Sa fille adopta donc ces valeurs et s'efforça de planifier et d'organiser sa vie en conséquence. Elle ne se permettait aucune détente et ne montrait jamais une quelconque faiblesse. Ce comportement établit entre elle et les autres une barrière émotionnelle et elle s'éloigna de son *centre*. Elle commença une thérapie à la suite d'une maladie de la peau qui était devenue de plus en plus difficile à cacher. C'était comme si sa vulnérabilité avait exigé d'être reconnue. Elle ne pouvait plus la cacher, celle-ci s'était inscrite sur sa peau! Dans le premier rêve dont elle me fit part au début de la thérapie, elle était isolée au sommet d'un gratte-ciel. De la hauteur où elle se trouvait, elle pouvait voir le tracé des rues et les voitures qui y circulaient, mais elle était dans l'incapacité de descendre. À la fin, un homme joyeux et insouciant grimpait dans la tour et l'aidait à redescendre sur terre. Puis elle se mettait à courir pieds nus dans l'herbe avec lui. Ce rêve révélait un des côtés du masculin qui lui avait fait défaut dans son développement car il ne le lui avait pas été donné par son père sérieux et compassé. Elle avait besoin d'être en contact avec un homme instinctif qui accepte de jouer avec elle.

Au cours de l'analyse, elle fit également un rêve qui mettait au jour l'influence que son père exerçait sur elle. Elle voulait lui montrer sa peau malade, mais il refusait de regarder. Cet homme ne lui permettait de manifester aucune vulnérabilité et elle avait inconsciemment adopté cette attitude envers elle-même. Celle-ci affectait non seulement sa vie émotionnelle mais également sa créativité. Bien qu'elle eût beaucoup de dons artistiques et un certain potentiel créateur, elle opta pour les sciences pures. Mais elle ne put jamais terminer ses études. C'était comme si elle se contentait de suivre les traces de son père. Au cours de l'analyse, elle apprit à accepter son côté vulnérable et s'autorisa à jouer.

L'homme de son premier rêve symbolisait cette acceptation. Quelque temps après, elle rencontra un homme chaleureux et spontané dont elle tomba amoureuse, ce qui lui permit de laisser voir son côté vulnérable. Elle reprit ses études dans un domaine qui l'attirait. Peu de temps après, l'image de son père se transforma dans ses rêves. Dans l'un d'eux, on lui apprenait que celui-ci était mort. Elle entendait ensuite une sonnette l'appelant de l'autre côté d'une rivière. Elle s'engageait sur le pont qui menait à l'autre rive, mais comme celui-ci n'était pas tout à fait terminé, elle se laissait glisser dans l'eau pour continuer la traversée. La mort de son père symbolisait la fin du règne de celui-ci. Il fallait qu'elle traverse la rivière pour trouver de l'autre côté une nouvelle face d'elle-même. Le pont menant à cette nouvelle face était en partie terminé, mais il fallait qu'elle entre dans l'eau pour continuer son chemin. Ce qui signifiait, bien entendu, entrer dans le flot de la vie et permettre à ses sentiments de s'exprimer. Tandis qu'elle progressait de la sorte au cours de l'analyse, l'image de son père ne cessait de se transformer dans ses rêves; il devint plus indulgent. Dans un autre rêve, elle avait perdu quelque chose qui appartenait à son père. Celui-ci, au lieu de la réprimander, se montrait compréhensif. Un autre rêve montrait son père travaillant pour un groupe de rockeurs. Elle était fière de lui. C'était comme si ses rêves et sa vie dansaient ensemble, faisant de nouveaux mouvements chacun à leur tour afin qu'elle fût capable de s'engager dans un nouveau mode de vie plus spontané, plus rythmé. Grâce à la poursuite de cette connaissance d'elle-même et à l'interprétation de ses rêves au cours de la thérapie, elle fut capable d'établir le contact avec son côté enjoué, de laisser couler ses sentiments et de libérer sa féminité et sa créativité. Et lorsqu'elle ressentit les énergies compensatoires de son père archétypique intérieur, la vieille blessure qui lui venait de son père sévère, rigide et incompréhensif commença à guérir.

CHAPITRE DEUX

LA FILLE SACRIFIÉE

Ah, que ton cœur est noble, jeune fille!
Mais la fortune et la déesse se montrent bien
cruelles.

Euripide.

La blessure du père et de la fille est une composante de notre culture. En conséquence, les hommes aussi bien que les femmes en subissent les effets néfastes. Les femmes sont souvent considérées comme inférieures aux hommes et ceux-ci, lorsqu'ils extériorisent des qualités féminines, sont généralement traités avec mépris par leur entourage. La relation perturbée entre les principes masculin et féminin est implicite dans la blessure du père et de la fille.[1] Et elle affecte non seulement les individus, mais les partenaires, les groupes, et la société tout entière. Les hommes et les femmes en souffrent; ils n'arrivent pas à trouver leur identité propre et à comprendre le rôle qu'ils jouent les uns envers les autres.

L'origine de la blessure du père et de la fille remonte très loin dans le temps. On peut la discerner clairement dans la pièce d'Euripide, *Iphigénie à Aulis*. Ce drame montre comment un père en arrive à vouloir sacrifier sa fille et dépeint la souffrance qu'il ressent lorsqu'il est amené à cette extrémité. Il met également en lumière le manque de considération d'une société patriarcale envers le féminin.

Iphigénie est la fille aînée du roi Agamemnon. Elle est aussi sa préférée. Et pourtant, en dépit de l'amour qu'il lui porte, son père va la condamner à mort. Comment une telle horreur est-elle possible? Comment un père peut-il en arriver à sacrifier ainsi sa fille?

Au début de la pièce, Agamemnon est plongé dans le désespoir — un désespoir si profond qu'il frise la folie — parce qu'il a accepté de sacrifier sa fille Iphigénie. L'histoire est la suivante. Les Hellènes ont déclaré la guerre à Troie parce que le Troyen Pâris a enlevé la belle Hélène, épouse de Ménélas, frère d'Agamemnon. Mais lorsque l'armée arrive dans la baie d'Aulis pour se diriger vers Troie, elle ne peut prendre la mer car les vents ne sont pas favorables. Aveuglés par le désir de venger l'insulte qui a été faite à leur patrie, les guerriers perdent patience et accueillent très mal les ordres d'Agamemnon. Craignant de voir l'éclat de sa gloire s'estomper et de perdre ainsi son pouvoir et l'obéissance de ses troupes, Agamemnon consulte un devin qui lui annonce qu'il doit sacrifier sa fille aînée pour sauver la gloire de la Grèce. Le sacrifice, qui sera fait à la déesse Artémis, rendra les vents favorables. Désespéré, Agamemnon finit par se résoudre à obéir à ce décret et mande sa fille au camp sous le prétexte de la marier à Achille, un de ses guerriers les plus valeureux. Son seul but est bien entendu de sacrifier Iphigénie. Lorsqu'il réalise l'horreur de la situation, il tente de donner un contre-ordre, mais il est hélas trop tard.

Furieux et désespéré, Agamemnon accuse son frère Ménélas de s'être laissé prendre au piège de la beauté et d'avoir perdu sa raison et son honneur pour elle. Ménélas, quant à lui, accuse Agamemnon de ne sacrifier sa fille que pour garder son pouvoir intact. Tandis que les deux frères se battent avec rage, Iphigénie arrive. Agamemnon se sent piégé par le destin. Lorsque Ménélas, dans un moment de compassion, comprend qu'il s'est trompé et supplie Agamemnon d'épargner Iphigénie, ce dernier ne bronche pas: il se sent poussé par une force qui le dépasse et l'oblige à accomplir son dessein meurtrier. Il est persuadé que ses troupes enragées vont se révolter, sacrifiant non seulement sa fille, mais aussi lui-même. C'est ainsi que le roi Agamemnon, soumis à sa folie du pouvoir, à sa peur et à la gloire de la Grèce, se sent forcé de tuer sa fille.

Iphigénie et sa mère, Clytemnestre, arrivent à Aulis. Elles sont heureuses à l'idée du mariage projeté. Mais Iphigénie trouve son père étrangement triste et préoccupé. Lorsque Agamemnon ordonne à Clytemnestre de quitter Aulis avant le mariage, celle-ci s'étonne de la singularité de cette demande et refuse tout bonnement d'y obéir. Elle finit par découvrir le dessein de son époux et entre dans une grande colère. Achille est lui aussi furieux d'avoir été dupé par Agamemnon et il jure de défendre Iphigénie au péril de sa vie. Clytemnestre, en proie à un affreux désespoir, questionne Agamemnon sur les raisons de sa funeste décision. Il répond d'abord de manière évasive, niant ce dont elle l'accuse, mais il finit par reconnaître la terrible vérité. Révoltée, Clytemnestre l'accuse alors du meurtre de son premier époux et de son enfant. Elle lui rappelle également qu'il l'a prise de force et lui déclare qu'elle ne s'est résignée que lorsque son père a donné sa bénédiction à leur mariage. Elle est alors devenue une épouse obéissante. Clytemnestre tente de briser la volonté d'Agamemnon en lui rappelant ses mauvaises actions passées. Iphigénie elle aussi plaide auprès de son père pour avoir la vie sauve. La mère et la fille demandent à Agamemnon pourquoi Hélène, qui est la sœur de Clytemnestre et la tante d'Iphigénie, a plus d'importance à ses yeux que sa propre fille. Mais Agamemnon, ne pouvant lutter contre la soif de pouvoir de l'armée, ne cède pas. Il déclare que son premier devoir est de servir la Grèce et qu'il n'a par conséquent pas d'autre choix que de sacrifier Iphigénie.

Au début, Iphigénie maudit Hélène; elle maudit son père meurtrier; elle maudit l'armée avide prête à partir à la conquête de Troie. Mais lorsqu'elle comprend que même Achille demeure impuissant devant les troupes assoiffées de sang, elle abandonne et se résout noblement à mourir pour la Grèce. Son sacrifice, se dit-elle, permettra aux Hellènes de prendre la mer. Pourquoi Achille mourrait-il pour moi? se demande-t-elle, alors que: «Plus que dix mille femmes, un homme a des raisons de vivre. Et qui suis-je, moi, une mortelle, pour m'opposer à la divine Artémis?[2]» Mais le coryphée représentant la voix de la vérité réplique: «Ah, que ton cœur est noble, jeune fille! Mais la fortune et la déesse se montrent bien cruelles.[3]» Iphigénie marche néanmoins vers la mort, pardonnant à son père et recommandant à sa mère d'oublier sa colère et de cesser de le haïr[4].

La vision du féminin projetée par cette tragédie est claire: la femme y est considérée comme une possession de l'homme. Les trois personnages principaux, Hélène, Iphigénie et Clytemnestre, sont des objets appartenant aux hommes. C'est parce que Ménélas considère Hélène comme un de ses biens que l'enlèvement de cette dernière par les Troyens pousse les Grecs à leur déclarer la guerre. Ils veulent récupérer l'objet qui leur a été dérobé. Clytemnestre, l'épouse obéissante, est, pour Agamemnon, un bien sur lequel il a plein pouvoir. Et il en est de même pour Iphigénie, que son père peut mener à l'autel du sacrifice si tel est son bon plaisir. Le féminin, dans cette histoire, n'est pas autorisé à se manifester en tant qu'entité à part entière, il est réduit aux formes compatibles avec la vision masculine prévalant à l'époque où la tragédie se déroule.

Quant au but poursuivi par les hommes, il ne fait aucun doute que c'est le pouvoir; le devoir le plus cher au cœur des Grecs est de défendre la gloire de leur patrie, à n'importe quel prix. L'enlèvement d'Hélène par Pâris est en fait pour les Hellènes une bonne occasion de faire la guerre aux Troyens. C'est ce que comprend, trop tard, Agamemnon: «Une frénésie pousse l'armée grecque à s'élancer vers la terre barbare...[5]» C'est cette frénésie, cette soif de pouvoir, qui, en fin de compte, exige le sacrifice d'Iphigénie.

Cette tragédie indique également une fissure dans le féminin. Le rôle assigné à Hélène est de personnifier la beauté. Quant à Clytemnestre, elle représente l'épouse soumise et pleine d'égards, en même temps que la mère. Ces deux formes que peut revêtir le féminin sont les seuls rôles de femme présentés dans la pièce. Le domaine du féminin y est dévalué par la réduction qu'on en fait: les femmes, par le biais de la beauté et de la soumission, y sont placées au service des hommes. L'idéal de beauté, d'une part, réduit la valeur de la femme à une simple projection du désir de l'homme et maintient celle-ci dans la position de dépendance de la *puella*, tandis que, d'autre part, l'obéissance aveugle la ravale au statut de servante d'un maître. Dans les deux cas, la femme n'existe ni en elle-même ni à l'extérieur d'elle-même; son identité procède directement de l'homme et de ses désirs. Le père d'Iphigénie, le roi Agamemnon, cautionne cette dévaluation du féminin en acceptant de sacrifier sa fille afin que les Grecs puissent récupérer le bien qu'on leur a volé. Et il exige que sa femme Clytemnestre se soumette à son décret. Son ambition et son goût du pouvoir sont primordiaux, la vie de sa fille est tout à fait secondaire.

Tandis que les deux sœurs, Hélène et Clytemnestre, personnifient les idéaux de beauté et d'obéissance projetés sur la femme, les deux frères, Ménélas et Agamemnon, sont menés par ces deux idéaux. Ménélas, le frère futile et enfantin, est si captivé par la beauté d'Hélène qu'il est prêt à tout sacrifier pour elle — même une armée entière et, s'il le faut, la vie de sa nièce. Agamemnon, par contre, a vendu son âme pour satisfaire la soif de pouvoir de la Grèce et son ambition de roi, même si cette position l'isole et lui interdit d'exprimer ses sentiments paternels. La pire blessure d'Agamemnon est peut-être de ne pouvoir pleurer. Il confie d'ailleurs cette souffrance en ces mots:

> Quelle fatalité sur moi jette son joug? Plus rusé que toutes mes ruses
> Mon destin s'est joué de moi.
> Une puissance obscure a bien des avantages.
> Elle permet qu'on s'abandonne aux larmes et aux plaintes,
> tout ce qu'un homme de sang noble doit tenir secret.
> Le souverain de notre vie, c'est le prestige, qui nous asservit
> à la multitude.
> C'est ainsi que j'ai honte de pleurer,
> honte aussi de me refuser aux larmes,
> au moment où m'accable un malheur si affreux.[6]

Dans quel piège Agamemnon, roi et père, est-il tombé? L'esprit semble impuissant, et cette impuissance est symbolisée par l'absence de vent. Ainsi que le coryphée l'a annoncé: «... la fortune et la déesse se montrent bien cruelles.» L'homme Agamemnon est prisonnier de sa volonté farouche de garder le pouvoir au nom de la Grèce; sa fille sera donc sacrifiée à cette fin, devenant ainsi l'âme de la Grèce. Mais ce dessein réclame la destruction de son enveloppe charnelle. Quant à Agamemnon le roi, il endosse, en tant qu'incarnation du principe divin, des valeurs qui sont consciemment reconnues par la culture. Dans cette culture, le féminin est diminué et la femme n'est plus, en quelque sorte, que l'objet du désir masculin. C'est pourquoi les femmes, dans la tragédie d'Euripide, ne possèdent aucun pouvoir réel. Hélène, l'objet de beauté, est séduite. Clytemnestre, l'épouse, doit se plier à la volonté de son mari. Elle a bien, en tant que mère, son mot à dire dans son foyer, mais dès qu'il s'agit de sauver sa fille, elle est totalement impuissante. Iphigénie, la fille, doit être sacrifiée à la raison d'État. Comme elle le dit à Agamemnon lorsqu'elle plaide pour sa vie: «... tout mon art, ce sont mes larmes que je t'offre. Que puis-je d'autre.[7]» Mais l'innocence et les larmes n'ont aucun poids là où le pouvoir politique est mis au premier plan. C'est ainsi que la dévaluation du féminin faite par la culture qu'Agamemnon cautionne le conduit au sacrifice de sa fille. Et Iphigénie, cette fille noble et pure, pardonne et finit par accepter la décision de son père lorsqu'elle connaît ses raisons profondes. Elle se plie à son destin, entérinant ainsi la dévaluation qui est faite du féminin. Elle se sacrifie pour la Grèce et déclare: «Plus que dix mille femmes, un homme a des raisons de vivre.» Acceptant la projection que son père fait sur elle, elle dit: «... et que mon père, allant vers la droite, fasse le tour de l'autel, car je viens apporter aux Grecs la victoire avec le salut. Escortez-moi, la conquérante d'Ilion et des Phrygiens![8]»

Iphigénie, en devenant l'âme de la Grèce, abandonne son identité féminine et cesse de croire à la valeur de ses larmes: «... Près de l'autel, je ne pourrai pleurer.[9]» Bien que la jeune fille se résigne et pardonne, sa mère, livrée à sa rage et à son chagrin, ne peut pardonner. Et la tragédie qui s'est abattue sur cette famille va se poursuivre dans d'autres pièces d'Euripide, lorsque Clytemnestre va tuer Agamemnon pour venger la mort d'Iphigénie et que, pour la punir d'avoir tué son père, Oreste, son fils, va la tuer à son tour[10].

Le sacrifice de la fille et du père plonge ses racines dans la prédominance du pouvoir masculin sur le féminin. Lorsque le masculin est privé de valeurs féminines, lorsqu'il ne permet pas au principe féminin de se manifester comme il l'entend et selon son identité propre, lorsqu'il lui interdit de s'épanouir dans toutes ses formes et le réduit à celles qui ne servent que des fins masculines, il détruit sa relation avec les valeurs du domaine féminin. C'est alors que le masculin se conduit comme une brute et sacrifie non seulement la femme en chair et en os mais aussi son propre aspect féminin.

L'image de cette condition est exprimée par l'hexa-gramme 12, «Immobilité-Stagnation», que l'on trouve dans le *Yi King*, le livre taoïste chinois de la sagesse. L'image de base du cosmos et de l'existence humaine présente dans le *Yi King* repose sur la relation entre les principes féminin et masculin. Lorsque ces deux polarités sont en harmonie, elles devien-nent source d'épanouissement, de spiritualité et de créativité — elles permettent l'union des sagesses masculine et fémi-nine. Mais lorsque l'harmonie entre le féminin et le masculin est brisée, on ne trouve plus que chaos et destruction.

Dans l'hexagramme 12, le principe masculin (le ciel) est en haut et le principe féminin (la terre) est en bas. Le *Yi King* dit ceci:

> Le ciel, en haut, se retire toujours davantage, et la terre, en bas, s'enfonce toujours davantage dans les profondeurs. Les forces créatrices ne sont pas en relations mutuelles... Le ciel et la terre n'ont plus de commerce l'un avec l'autre et toutes choses se figent. Le haut et le bas n'entretiennent plus de relations mutuelles; la confusion et le désordre règnent sur la terre.[11]

Dans le cadre de cette constellation, ajoute le *Yi King*, une méfiance mutuelle prévaut dans la vie publique et une activité féconde est impossible car la relation entre les deux principes fondamentaux est faussée. C'est ce qui se passe dans la rela-tion entre le masculin et le féminin dépeinte dans *Iphigénie à Aulis* d'Euripide. Le point de vue de Jung à ce sujet est qu'une relation perturbée entre les principes masculin et féminin peut aussi bien exister dans la psyché d'un individu que dans le rapport unissant deux personnes. Chaque femme a un aspect masculin, souvent caché dans son inconscient, de même que chaque homme a un aspect féminin qui se trouve, puisque dissimulé lui aussi dans son inconscient, hors de sa portée. L'épanouissement personnel consiste à prendre conscience de cet aspect afin de le mettre en valeur et de l'exprimer consciemment dans des situations adéquates. Lorsque cet aspect est accepté et valorisé, il devient une source d'énergie et d'inspiration, et permet aux principes masculin et féminin de s'unir dans la créativité, aussi bien à l'intérieur d'un individu que dans une relation homme-femme.

Le féminin, lorsqu'il est dévalué ou nié, se révolte et réclame son dû d'une manière primitive, tel celui de Clytemnestre qui l'amène à faire tuer Agamemnon pour venger la mort de sa fille. Le sacrifice de la fille et du père affecte non seulement le développement de la femme mais l'épanouissement personnel de l'homme. Agamemnon est aussi meurtri et désespéré, aussi traqué que sa fille Iphigénie.

La coupure dans le masculin entre la soif de beauté et la soif de pouvoir et celle qui lui correspond dans le féminin entre l'envie d'être belle (l'éternelle adolescente) et celle de faire son devoir (l'amazone) sont représentées, dans la tragédie d'Euripide, par les deux frères ennemis (Ménélas et Agamemnon) et les deux sœurs si différentes (Hélène et Clytemnestre). Cette cassure entre les éléments opposés est présente dans la blessure du père et de la fille. La coupure, dans le masculin, entre ces deux opposés, provoque la réduction de l'idéal féminin à la beauté et au devoir. Les deux frères utilisent les femmes, l'un pour le plaisir, l'autre pour exercer son pouvoir. Iphigénie, qui personnifie le potentiel féminin, proteste d'abord contre ces abus, mais elle finit par se soumettre au but suprême: le pouvoir.

Le sacrifice doit être fait à Artémis, la déesse vierge de la chasse, car Agamemnon ne lui a pas rendu hommage après avoir tué un de ses cerfs. Une autre version de la mythologie grecque raconte qu'Agamemnon s'était vanté d'être meilleur chasseur qu'Artémis et que celle-ci, de rage, s'était vengée en retenant les vents et en exigeant ensuite, pour les libérer, le sacrifice d'Iphigénie[12]. Agamemnon a manqué d'égards envers Artémis. Du point de vue psychologique, manquer d'égards à une déesse laisse entendre que l'aspect de la psyché qu'elle représente n'a pas été reconnu consciemment. En tant que déesse vierge, Artémis symbolise la qualité virginale qui consiste à être en harmonie avec soi-même, attitude intérieure qui permet de «se centrer» et d'acquérir son indépendance[13]. L'une des fonctions d'Artémis est de protéger les jeunes filles qui arrivent à la puberté et de leur apprendre l'indépendance. C'est justement ce qui a été méprisé par Agamemnon et les valeurs culturelles en vigueur. Agamemnon n'a pas permis à son aspect féminin de l'influencer. En fin de compte, il n'a écouté ni sa femme ni sa fille; il a refusé l'indépendance féminine et manqué de respect à l'une des plus grandes déesses, Artémis. Seul le pouvoir compte à ses yeux, ainsi que son bon plaisir qui consiste, en l'occurrence, à prendre la vie d'un des cerfs d'Artémis. Peut-être la déesse exige-t-elle le sacrifice d'Iphigénie pour montrer à Agamemnon ce qu'il a perdu en dévaluant le féminin. La perte d'Iphigénie, symbole du potentiel féminin d'Agamemnon, est la triste conséquence de sa soif de pouvoir. Lorsqu'un homme bafoue le féminin, il se coupe de la relation qu'il a avec lui. Dans un sens, le sacrifice à Artémis est nécessaire afin de rendre hommage à l'indépendance féminine bafouée.

Bien qu'*Iphigénie à Aulis* soit une tragédie grecque et qu'elle ait été écrite aux environs de l'an 405 avant J.-C., les schémas qu'elle décrit perdurent dans notre culture occidentale. Le féminin continue à être réduit, par les hommes, à la femme soumise ou à la maîtresse séduisante, ou encore à une variation sur chacun des deux thèmes. Beaucoup de femmes vivent encore en fonction des hommes et non pour elles-mêmes. D'autres, par contre, ont commencé à se détacher de ce schéma et à se réaliser dans diverses professions. Hélas, en voulant rompre avec la dépendance de l'éternelle adolescente, elles imitent trop souvent le modèle masculin, perpétuant ainsi la dévaluation du féminin. Par contre, d'autres femmes qui, à l'instar de Clytemnestre, sont animées d'un désir de vengeance peuvent sembler, extérieurement, soumises au système, alors qu'en fait elles dissimulent leur colère qui se manifeste de différentes manières, par exemple lorsqu'elles éliminent les rapports sexuels de leur existence, trompent leur mari en guise de représailles, dépensent à tort et à travers avec les cartes de crédit de ce dernier, boivent trop ou se réfugient dans la maladie, l'hypocondrie, la dépression ou les idées suicidaires.

La blessure la plus profonde de l'homme, sa plus grande souffrance, est peut-être consécutive à son incapacité d'admettre qu'il est blessé et à son refus de pleurer. Beaucoup de ces pères qui entretiennent l'illusion qu'ils ne pourront maintenir leur autorité qu'à la condition de ne jamais se tromper, ainsi que les hommes prisonniers des nécessités du pouvoir (réussite et domination dans notre ère technologique), partagent ce triste entêtement. Ils ont perdu le pouvoir que donnent les larmes et n'ont pas respecté leur aspect féminin. Comme Agamemnon, ils ont sacrifié leur «fille intérieure» au nom de leur pouvoir. Ou, comme son frère Ménélas, ils ont succombé au pouvoir de la beauté féminine et ont perdu accès à leur féminité intérieure. Dans les deux cas, l'esprit féminin indépendant n'est pas respecté et se perd.

De bien des manières, ce qui se passe aujourd'hui est à l'image de la pièce d'Euripide: la confusion et la soif de pouvoir règnent toujours entre les sexes; et l'harmonie spirituelle (la relation équilibrée entre les principes masculin et féminin) n'a pas encore été atteinte par la plupart des hommes et des femmes. Mais au moins les questions abondent, et lorsqu'il y a des questions, cela veut dire qu'il y a quête, prise de conscience et espoir que l'on va briser les modèles inadéquats existants.

Il y a beaucoup de femmes comme Iphigénie dans notre culture, qui subissent les effets négatifs d'une vision restreinte de la féminité, vision étroite profondément ancrée dans cette culture et, fréquemment, dans les pères et mères biologiques. Ces femmes sont souvent en colère et conscientes de ce que les images que notre société patriarcale nous donne des femmes ont été brouillées par la relation inadéquate des hommes avec leur féminité. Elles se sentent néanmoins piégées et sans défense.

Joan, une femme de quarante ans talentueuse et séduisante, en est un parfait exemple. Elle a grandi en se disant que la femme idéale devait ressembler à Hélène — la plus belle, la plus désirable; une femme qui attire tous les hommes par son charme et sa beauté et qui est capable de répondre à toutes leurs attentes. Cet idéal, encouragé par sa culture, lui venait également de ses parents. Sa mère, qui souffrait d'une rupture dans sa propre féminité, était jolie, primesautière et dépendante (l'éternelle adolescente), bien qu'en apparence elle ressemblât à une bagarreuse indépendante (l'amazone) et qu'elle fût incapable de se laisser aller et de prendre plaisir à faire l'amour avec son mari. Le père de Joan, mari frustré, aimait probablement trop sa fille, sur qui il transférait très vraisemblablement ses désirs amoureux mais également sa culpabilité à propos de ces mêmes désirs.

Les rêves de Joan lui ont fourni des images qui l'ont aidée à comprendre les rôles inadéquats qu'elle avait joués. Dans l'un de ses rêves, Joan était reléguée au rôle de Cendrillon par sa mère et était obligée de ramasser les cendres dans la cheminée et de nettoyer celle-ci. C'était en quelque sorte le message inconscient qu'elle recevait de sa mère: d'une part, elle n'était pas aussi belle que cette dernière et, d'autre part, en fille obéissante, sa tâche était de «nettoyer» la relation inadéquate de ses parents. La manière dont Joan s'acquitta de cette tâche dans la vie fut de devenir médiatrice pour chacun d'eux et d'être très compétente dans sa profession. Mais au fond d'elle-même elle se sentait inférieure parce qu'en fait elle aurait voulu être Hélène, la femme que son père désirait secrètement et qui représentait pour elle une des images de la femme idéale. Sortir avec des garçons, être choisie par un membre d'une confrérie d'étudiants, pour se marier finalement aussitôt leur diplôme obtenu était le but des femmes de son milieu. Lorsque Joan était adolescente, elle avait l'impression que sur les plans physique et émotionnel elle ne collait pas à cette image. Les pressions de ses pairs et l'obligation de sortir avec des garçons lui donnaient un sentiment d'infériorité. D'une part, elle voulait l'approbation de la société et, d'autre part, elle haïssait cette image car elle savait que le tribut à payer pour l'obtenir était la trahison des besoins et des potentialités des femmes. Les hommes qui lui plaisaient étaient systématiquement plus jeunes qu'elle et elle tenait auprès d'eux le rôle de la mère. Ces liaisons échouaient car elles ne pouvaient lui procurer la relation adulte dont elle avait besoin. En outre, ses partenaires étaient souvent, sur le plan sexuel, passifs et timides. Dans ses rêves, son père lui apparaissait fréquemment comme un juge sévère qui lui reprochait d'avoir des relations érotiques. Les liaisons de Joan avec des hommes qui n'étaient pas mûrs sur le plan sexuel lui permettaient d'éviter la possessivité de son père.

Sur le plan professionnel, sa réussite semblait totale. Mais même dans ce domaine elle adoptait inconsciemment les schémas propres aux hommes lorsque, au lieu de se lancer dans un projet créatif en accord avec son instinct et son intuition féminine, elle se rabattait sur des tâches administratives. Bien qu'elle accomplît parfaitement ces tâches, celles-ci ne faisaient pas appel à sa créativité, ce qui l'empêchait d'explorer cette dernière. Elle avait appris comment réussir dans le monde des affaires masculin et ses compétences autant que son assurance lui avaient permis d'acquérir l'indépendance financière. Mais elle était fatiguée d'être aussi forte et aspirait à ce que l'on prît soin d'elle. Consciemment, elle incarnait une version fidèle de l'amazone, mais secrètement elle voulait être Hélène, l'éternelle adolescente que tous les hommes désirent. Et, comme beaucoup de femmes, elle en voulait à celles qui réussissaient dans ce rôle.

Joan se sentait piégée par ces deux images opposées du féminin. Le rôle de la mère-servante consciencieuse n'était pas épanouissant sur le plan émotionnel, et elle était trop indépendante et créative pour devenir une simple image des désirs inconscients de l'homme. En Iphigénie des temps modernes, elle avait l'impression d'être sacrifiée sur l'autel du rejet de l'esprit féminin indépendant par le père culturel. Mais contrairement à l'Iphigénie de la tragédie d'Euripide, Joan n'a pas accepté les concepts de la féminité véhiculés par le père culturel.

Elle forma un groupe de femmes qui explorèrent les images féminines divines dans les cultures et les mythes. Dans ses rêves, une figure féminine mystérieuse et puissante s'approchait d'elle pour l'inviter à monter un éléphant, l'animal royal qui transportait les maharajahs. Ce rêve devint le symbole de l'expérience extatique du féminin dans laquelle elle trouva une source de pouvoir inné — un pouvoir qui n'avait pas besoin d'être validé par un homme ou par une institution patriarcale. Un des poèmes de Mirabai, une poétesse indienne, décrit l'expérience extatique d'une femme qui découvre son *centre* et son esprit féminin et essaie à

nouveau de dire ce qu'être une femme signifie. Comme Robert
Bly, poète et traducteur de Mirabai, l'a énoncé: «Dans cette
confiance retrouvée, la pitié qu'elle avait d'elle s'en est
allée.[14]» Le poème est intitulé: «Pourquoi Mira ne peut retourner dans sa vieille demeure».

Les couleurs de l'Être bleu ont pénétré le corps de Mira; les
autres couleurs ont disparu.

Faire l'amour avec Krishna, manger à peine — voilà mes
perles et mes cornalines.

Le mala que j'égrène, les cendres sacrées sur mon front
— voilà mes bracelets.

Ce sont là tous mes artifices féminins. C'est ce que mon
maître m'a appris.

Approuvez-moi ou désapprouvez-moi; je glorifie nuit et
jour l'Énergie de la Montagne.

Je suis le chemin qu'ont emprunté les humains en
extase depuis des siècles.

Je ne vole pas, je ne frappe personne — que pourriez-
vous me reprocher?

J'ai senti le balancement des épaules de l'éléphant. Et
vous voudriez que je grimpe sur un âne? Soyez donc
sérieux![15]

CHAPITRE TROIS

L'ÉTERNELLE ADOLESCENTE

*Je hais
mon âme misérable et gémissante
qui endure avec patience, tordue ou tressée
par d'autres mains.*

Karin Boye.

Le père de la Belle au bois dormant était un roi qui, bien qu'il fût prêt à aimer tendrement sa fille, avait oublié d'inviter à son baptême une des fées les plus vieilles et les plus puissantes de toutes. Cette étourderie, ce manque de respect dû à une autorité féminine plongèrent sa fille dans un profond sommeil qui dura cent ans. Quant au père de Cendrillon, il se laissait dominer par sa seconde femme, affreuse marâtre qui terrorisait la petite fille, l'obligeant à porter des guenilles et à être la servante de la maisonnée. Le premier de ces deux hommes semblait puissant; il était roi. Le second était passif et inefficace. Leurs filles souffraient toutes deux d'en être réduites, l'une à un rôle passif, l'autre à une position inférieure. La passivité est un des moyens qu'utilisent les femmes pour contrétiser le modèle de l'éternelle adolescente. La Belle

61

au bois dormant et Cendrillon, qui furent finalement sauvées par des princes, sont exactement à l'image de ces femmes qui cherchent le réconfort et la sécurité dans le mariage. C'est la raison pour laquelle, au bout du compte, elles ont l'impression de s'être trahies elles-mêmes.

Notre culture collabore à cette trahison. Les femmes sont louées pour leur complaisance, leur capacité d'adaptation, leur gentillesse, leur douceur primesautière, leur sens de la coopération et leur obéissance envers leur mari — qui se montre particulièrement doué lorsqu'il s'agit de l'obtenir. Les femmes qui passent leur vie enfermées dans ce modèle archétypique d'existence sont tout bonnement restées bloquées au stade de l'adolescence. Comme Peter Pan, et pour diverses raisons, elles ont préféré ne pas grandir. Elles sont demeurées d'éternelles adolescentes. Que ces femmes tiennent aux avantages qu'elles tirent de cette option est tout à fait compréhensible. On peut trouver un grand plaisir à être traitée comme une adorable petite chose; il est réconfortant de s'en remettre à la volonté d'un être plus fort lorsqu'il est question de décisions importantes, de se livrer à des fantasmes romanesques sur les princes charmants qui parviennent toujours à traverser les buissons épineux pour venir sauver leur belle, de flirter avec tous les possibles, de devenir la femme caméléon capable de se métamorphoser au gré des caprices d'un homme, ou même de se réfugier dans un monde de désirs secrets quand on a peur de la vie. Mais les désavantages d'un tel style de vie abondent eux aussi. L'envers de la médaille est que l'éternelle adolescente abandonne souvent son indépendance et s'installe dans une vie passive et sans autonomie. Plutôt que de s'épanouir sur les plans individuel et professionnel, de faire en sorte de trouver son identité, de découvrir qui elle est vraiment au cours de cette ascension difficile qui mène à l'accomplissement de soi, l'éternelle adolescente se fabrique une identité à partir des projections que les autres font sur elle. Pour n'en nommer que quelques-unes: la femme fatale, la fille obéissante, l'épouse charmante et l'hôtesse exquise, la jolie princesse, l'inspiratrice, et même l'héroïne tragique. Au lieu d'assumer la force et la puissance de son potentiel et les responsabilités qui en découlent, l'éternelle adolescente se rapetisse dans sa faiblesse. Comme une poupée, elle permet aux autres de faire d'elle ce qu'ils veulent.

Afin d'avoir une vision plus claire du comportement de l'éternelle adolescente, il est important, avant d'explorer les moyens à utiliser pour le transformer, d'examiner d'abord les différentes expressions du mode de vie de cette dernière. Les exemples qui suivent ne doivent en aucune façon être catalogués comme des «catégories» ou des «types» dans lesquels les femmes doivent obligatoirement se placer. En fait, une femme peut changer de comportement à certaines périodes de sa vie et dans des situations imprévues. Ces exemples se sont spontanément présentés à moi comme les modèles de comportement qu'une femme peut reconnaître comme étant les siens. Grâce à cette prise de conscience, elle pourra alors examiner utilement la manière dont elle vit et adopter une nouvelle approche.

1. LA «PETITE POUPÉE CHÉRIE»

Un des modes de vie fréquemment adopté par la *puella* consiste à jouer les «petites chéries». Une telle femme se conforme à l'image que son amant se fait d'elle; elle s'adapte aux idées qu'il entretient sur la féminité. Extérieurement, elle peut paraître sûre d'elle-même et de son succès et, comme une princesse possédant de grands pouvoirs, elle peut devenir un objet d'envie inavouée pour les autres femmes. Mais son identité est fragile et instable car, à force de faire semblant d'être quelqu'un d'autre, elle finit par ne plus savoir qui elle est réellement. À l'instar de l'héroïne du film *Darling,* elle est comme le modèle d'un photographe dont l'identité est formée et réduite à l'état d'objet par l'œil qui se trouve derrière l'appareil. Elle devient pour ainsi dire une poupée, une marionnette.

Combien de femmes ont-elles passé la plus grande partie de leur vie conjugale de cette manière, faisant office de compagne charmante et d'hôtesse accueillante, pour se retrouver ensuite, au seuil de l'âge mûr, face à un divorce et sans grandes ressources pour passer à travers cette épreuve?

La pièce d'Ibsen, *Maison de poupée,* décrit très clairement ce modèle. Le personnage principal, Nora, est une épouse charmante qui se pomponne pour son mari Torvald et fait ses quatre volontés. Elle est sa «poupée», son «petit joujou», sa «petite chérie timide», son «petit écureuil», sa «petite alouette», sa «petite gaspilleuse», son «petit oiseau chanteur», son «petit étourneau», etc. — tous ces *petits* noms familiers dont il l'affuble. D'après son mari, Nora doit être protégée car elle est incapable de faire preuve de sens pratique et de se montrer responsable, parce qu'elle ne connaît pas la valeur de l'argent et ne peut prendre aucune décision. Bien qu'il critique les mêmes défauts chez le père de Nora, il les trouve chez celle-ci délicieux et charmants. Il lui dit:

> ... appuie-toi sur moi: tu trouveras aide et direction. Je ne serais pas un homme si ton incapacité de femme ne te rendait pas doublement séduisante à mes yeux... []... je te tiendrai lieu de volonté et de conscience.[1]

Ce que Torvald ignore, c'est que Nora a pris une initiative à son insu, quelques années plus tôt, lorsqu'il était malade. Elle a emprunté l'argent nécessaire à un voyage indispensable pour la santé de son mari. Sachant que Torvald, avec son «indépendance virile», aurait été blessé dans sa fierté si elle lui avait donné cet argent, Nora a gardé la chose secrète. Puis, au fil des années, elle s'est arrangée pour rembourser la dette. Mais pour obtenir ce prêt, elle a dû imiter la signature de son père, trop souffrant à l'époque pour pouvoir s'acquitter de cette formalité. La catastrophe survient lorsque le prêteur la menace de porter cette fraude au grand jour. Nora essaie tout d'abord de faire en sorte que son mari ne sache rien, utilisant son charme de «petit écureuil» chaque fois que cela se révèle nécessaire. Mais petit à petit, elle comprend qu'en agissant de la sorte elle dissimule sa vraie nature à son époux; elle lui cache non seulement sa faute mais également ses aptitudes et sa force. Lorsque ces notions deviennent plus claires dans son esprit, elle décide de passer aux aveux. Son mari, face à cette réalité, réalise que son image publique est en jeu et se met en colère, convaincu qu'il avait raison de considérer sa femme comme un être irresponsable. Furieux, il lui dit:

> J'aurais dû prévoir cela. Avec la légèreté des principes de ton père... et ces principes tu en as hérité. Absence de religion, absence de morale, absence de tout sentiment de devoir...[2]

En entendant ces paroles, Nora comprend qu'elle ne peut continuer à jouer le rôle qui plaît à son mari; elle doit prendre sa vie en main et affronter cet homme. Lorsque la menace de scandale faite par le prêteur est retirée et que Torvald lui pardonne (maintenant qu'il ne risque plus rien!), Nora pourrait reprendre son rôle de poupée, mais elle réalise que le changement d'attitude de son mari ne lui a été commandé que par les circonstances extérieures et que celui-ci continue à la considérer comme une enfant. Alors elle lui fait face et lui dit qu'ils n'ont jamais eu, en huit ans de mariage, une conversation sérieuse:

> On a été très injuste envers moi, Torvald: papa d'abord, toi ensuite. Vous ne m'avez jamais aimée. Il vous a semblé amusant d'être en adoration devant moi, voilà tout. C'est ainsi, Torvald; quand j'étais chez papa, il m'exposait ses idées et je les partageais. Si j'en avais d'autres, je les cachais. Il n'aurait pas aimé cela. Il m'appelait sa petite poupée et jouait avec moi comme je jouais avec mes poupées. Puis, je suis venue chez toi... Je veux dire que des mains de papa, je suis passée dans les tiennes. Tu as tout arrangé à ton goût et ce goût je le partageais, ou bien je faisais semblant, je ne sais pas au juste; l'un et l'autre peut-être, tantôt ceci, tantôt ça...[3]

Dans cette tentative d'introspection, Nora réalise qu'elle ne sait pas très bien qui elle est parce qu'elle a toujours été sous la dépendance d'un homme. Elle comprend que seule la solitude lui permettra de voir clair en elle-même; qu'elle sera alors en mesure d'acquérir ses valeurs et ses opinions personnelles sans se laisser influencer par ses proches ou par la communauté. Nora finit par prendre la décision de quitter son mari et ses enfants et de lutter pour son autonomie.

Si cette décision peut paraître radicale pour l'époque (Ibsen a écrit *Maison de poupée* en 1879), il est fréquent aujourd'hui que des femmes ressentent le besoin de quitter leur famille pour aller vivre seules. Mais le plus important, à mon sens, est d'essayer de comprendre la signification d'une telle décision et de prendre conscience de ce qu'il est anormal de vivre en fonction des désirs et des projections d'un homme. Il est urgent de découvrir par soi-même qui on est réellement. On imagine aisément la colère que doit ressentir une femme lorsqu'elle se rend compte que sa vie ne lui appartient pas et qu'elle a été manipulée comme une marionnette. L'une des tâches essentielles qui lui incombe alors est d'éviter de se complaire dans la colère et de manifester son ressentiment avec rancœur et amertume. Il est presque évident que le père, le mari ou les hommes en général ont, par les projections qu'ils font sur les femmes, contribué à cette vision tout à fait fausse du féminin, mais réagir à de telles projections par le blâme ne fait que perpétuer le schéma de passivité et de dépendance. En outre, il y a un aspect caché, une ombre avec laquelle il faut également négocier: sous l'épouse soumise se cache souvent une femme forte qui manipule son mari, comme le fait Nora. La tâche consiste dans ce cas à se forger ses propres valeurs et sa conception de la vie et à accepter son pouvoir afin de l'utiliser de manière ouverte et créative.

Une femme qui avait vécu la première partie de sa vie comme une «petite poupée chérie» fit un rêve dans lequel une série de poupées étaient placées en rang. C'étaient en fait des poupées masculines habillées de façon identique. Elle était libre de choisir celle qui lui plaisait. Ce rêve l'aida à prendre conscience d'un fait important: si elle était une poupée pour les hommes, sans identité propre et se conformant à leurs fantasmes, ces mêmes hommes étaient aussi des poupées pour elle. Les relations qu'elle avait avec eux étaient aussi impersonnelles que celles qu'ils avaient avec elle; elles avaient les mêmes caractéristiques que celles de son premier mariage et répétaient le modèle de sa relation avec son père, magnat du monde des affaires. Dans la seconde partie de sa vie, elle décida de développer ses aptitudes et rencontra un homme qui sut l'apprécier autant pour ses qualités et ses talents que pour son charme et sa beauté.

2. LA FILLE DE VERRE

L'existence de la *puella* peut revêtir une autre forme lorsque cette dernière se réfugie dans la timidité, la fragilité; lorsqu'elle n'a pas les pieds sur terre et vit dans un monde imaginaire. Dans *La ménagerie de verre*, Tennessee Williams décrit cette situation de façon poignante. Laura, l'héroïne de la pièce, est la fille typique de l'éternel adolescent. Son père, un être charmant et romanesque, a un jour quitté le foyer et n'est plus jamais revenu. Le narrateur — le frère de Laura — le décrit, montrant du doigt le portrait plus grand que nature de ce père galant et aimable accroché, dans le salon, à la gauche d'une arcade. Il explique alors l'énorme influence inconsciente que celui-ci exerce:

> Ça, c'est notre père qui nous a quittés il y a longtemps. Il était employé dans une compagnie de téléphone. Puis il est tombé amoureux des appels longue distance. Alors il a laissé tomber son boulot et a décampé pour filer vers les lumières fantastiques du monde... La dernière fois qu'on a eu de ses nouvelles, c'est quand il nous a envoyé une carte postale de Mazatlan, sur la côte pacifique du Mexique. Il n'avait écrit que deux mots: «Hello! Salut!» et il n'avait pas mis son adresse.[4]

La mère de Laura, qui travaille sans lever la tête en prenant des airs de martyr, exprimant ainsi sa réprobation envers son mari éternel adolescent absent, vit dans un monde imaginaire accroché au passé et projette ses propres aspirations sur sa fille. Elle veut que celle-ci soit la «reine du bal», comme elle l'était elle-même avant son mariage. Mais Laura est tout à fait différente de sa mère, bien qu'elle vive elle aussi dans un monde imaginaire. On trouve dans le sien de vieux disques que son père a laissés derrière lui et une ménagerie de minuscules animaux de verre à qui elle redonne constamment vie. Son favori est une licorne, ce cheval merveilleux au front orné d'une corne qui, depuis des temps immémoriaux, captive l'imagination des jeunes filles. La ménagerie de verre et les vieux disques de son père constituent le monde dans lequel vit Laura, monde qui n'a rien à voir avec l'univers extraverti, pratique et mondain de sa mère.

Les fragiles animaux de verre sont à l'image de la fragilité de Laura et de son isolement par rapport à la vie. Quant à la musique et aux vieux disques, ils lui rappellent avec nostalgie que, même si son père n'est pas physiquement présent, il l'est émotionnellement. Laura est infirme; une de ses jambes est légèrement plus courte que l'autre et est soutenue par un appareil orthopédique. Cette infirmité symbolise l'infirmité psychique inhérente à la situation familiale. Elle se révèle sur le plan psychologique dans l'extrême timidité et le manque de confiance en elle-même de Laura, si graves qu'elle a été incapable de terminer l'université et ses études dans une école de comptabilité dans laquelle sa mère l'avait envoyée.

La vie de Laura ne diffère pas notablement, si ce n'est dans les détails, de la vie de ces femmes qui se réfugient dans un monde imaginaire, que ce soit avec un «amant fantôme» ou dans un rêve mystique. Enfermées dans la montagne de verre de leurs fantasmes, elles sont incapables de rejoindre le monde réel et d'avoir une relation satisfaisante avec un homme. Mais Laura est chanceuse. Un jour, ou plutôt un soir, un homme pénètre à l'intérieur de son univers, comme le Prince Charmant entre dans celui de la Belle au bois dormant. Sur les instances de sa mère, son frère avait invité un ami à dîner. Jim est un garçon dont Laura avait fait son héros à l'université. Cet être chaleureux et ouvert va permettre à la jeune fille d'avoir avec la vie réelle une relation que son père n'a pu lui donner, non plus que son frère, trop occupé à travailler à sa propre libération. Lors de la visite de Jim, Laura est si intimidée qu'elle est sur le point de défaillir et ne peut rien avaler. Mais, plus tard dans la soirée, le jeune homme arrive à entrer en contact avec elle, pénétrant ainsi dans son univers. La timidité de Laura commence à fondre grâce à la chaleur de Jim; elle lui montre sa ménagerie de verre, et en particulier la licorne. Jim se rend bien compte que la gêne de Laura est due à un manque de confiance en elle-même; il lui dit qu'elle n'a pas assez foi en ses capacités et qu'elle doit prendre conscience de sa supériorité. Et il ajoute qu'elle accorde cent fois trop d'importance à sa jambe infirme. Pour l'attirer plus encore dans son monde, il l'invite à danser. Elle déclare tout d'abord qu'elle n'a jamais appris, mais il l'encourage de telle manière qu'elle accepte d'essayer. En dansant, ils heurtent la table sur laquelle se trouve la licorne. Celle-ci tombe par terre et sa corne se brise, ce qui transforme l'animal fabuleux en simple cheval, ou presque. Attachée comme elle l'est à cette licorne, Laura devrait alors s'éloigner de Jim et de tout ce qu'il représente, mais elle sait, au fond d'elle-même, ce que symbolise cet animal de légende dans sa vie. Elle accepte cet accident, allant même jusqu'à déclarer que la licorne se sent certainement moins bizarre maintenant qu'elle a perdu sa corne. Ensuite, elle en fait cadeau à Jim lorsqu'il prend congé. Bien que le jeune homme soit fiancé à une autre jeune fille, la compréhension dont il a fait preuve à l'égard de Laura a fait son œuvre. Cet être chaleureux et attentif venu du monde extérieur l'a aidée à sortir d'elle-même. Non seulement elle a dansé avec un homme, mais elle lui a donné sa licorne — une aventure à la fois intérieure et extérieure: Laura a été touchée en profondeur et elle a agi. La métamorphose s'est amorcée par le biais du masculin, qui avait jusque-là été absent de son existence. Mais il fallait que Laura fasse elle aussi sa part: ce saut dans la foi qui demandait et confiance et acceptation des risques possibles.

Contrairement au modèle précédent où, consécutivement aux fortes projections du père sur sa fille, celle-ci devait s'efforcer de briser non seulement ces projections mais également celles de son mari, ce modèle-ci n'a trait qu'à un père absent. Laura n'a aucune relation avec le masculin; elle ne subit pas d'influence émanant, de manière active et consciente, de son père et n'a aucun contact avec le monde extérieur. Il est vrai que sa mère essaie de faire ce qu'elle peut, mais en vain car elle vit elle aussi dans un monde imaginaire et ne comprend pas vraiment sa fille. Privée de projections masculines et de contacts avec l'extérieur, Laura se crée son monde à elle, monde imaginaire dans lequel elle trouve les compensations nécessaires à la coupure avec l'extérieur. Beaucoup de femmes vivent d'après ce modèle, mais on entend rarement parler d'elles, car elles se cachent. Jusqu'à ce que leur petit monde s'écroule. Elles doivent alors affronter la réalité. On les retrouve souvent en thérapie.

L'une des manières les plus courantes de se retrancher du monde extérieur matérialiste et extraverti est de vivre dans les livres — en particulier les œuvres poétiques et fantastiques. C'est ce que faisait une de mes clientes qui, en outre, possédait elle aussi une ménagerie de verre. Elle était née dans une famille très pauvre, dont le père était absent. Tout l'argent qu'elle arrivait à économiser était consacré à l'achat de livres ou d'animaux en verre. Son livre favori était *Heidi*, l'histoire d'une petite orpheline qui doit aller vivre dans les Alpes avec un grand-père solitaire et cynique. Heidi, enfant ouverte, chaleureuse et spontanée, réchauffe non seulement le cœur de son grand-père, mais celui d'une petite fille clouée au lit par la maladie. La personnalité de Heidi correspondait en partie à celle de ma cliente; on y retrouvait un aspect d'elle-même qui avait été réprimé dans l'enfance, mais qui émergea finalement tandis qu'elle reprenait confiance en elle. En fin de compte, elle osa se mettre à écrire et acquit une certaine renommée. Puis on lui demanda de donner des causeries. C'est alors que des fantasmes d'angoisse propres aux filles de verre commencèrent à la torturer. Elle se voyait s'évanouir devant son auditoire. Bien que chacune de ses conférences fût traumatisante, elle n'en continua pas moins à les donner et finit ainsi par être capable de connecter son monde intérieur au monde extérieur, de partager ainsi son originalité créatrice avec les autres.

3. LA FEMME AÉRIENNE OU LA DON JUANE

Cette femme est un autre modèle de la *puella*. Elle vit de manière instinctive, sous l'impulsion du moment, avec exubérance et en refusant les contraintes. Elle donne l'impression d'être spontanée, autonome, de mener une existence passionnante, voire extravagante. Sa vie est soumise aux caprices de l'instant et aux situations qui se présentent. Elle vit dans le monde de la possibilité. Ce type d'existence a quelque chose d'aérien; les événements y apparaissent et disparaissent comme des nuages qui se forment et s'évanouissent quelques minutes plus tard. Ces éternelles adolescentes un peu évaporées n'ont pas la notion du temps et ont généralement une mauvaise relation avec les contraintes, les limites, les choses pratiques, le règne du concret et les horaires. Leur vie, très mal organisée, n'est ouverte qu'à l'imprévu. Ces *puellas* sont souvent intuitives; elles ont des tendances mystiques ou artistiques. Vivant dans le monde de l'imagination, elles se tiennent près de l'inconscient et des archétypes. Elles ont cela en commun avec les *puellas* timides et fragiles, mais, contrairement à ces dernières, elles n'ont pas peur et ne se retranchent pas afin de se dérober au monde extérieur. Elles préfèrent s'élancer à l'aventure, même dans l'air raréfié, et recherchent parfois le frisson du danger.

Anaïs Nin, elle-même fille d'un éternel adolescent, a admirablement décrit ce mode de vie dans son roman *Une espionne dans la maison de l'amour*. Comme le titre le laisse entendre, le personnage principal, Sabina, mène l'existence d'une espionne. Incapable d'avoir une relation franche et durable, elle doit vivre comme une espionne afin d'être libre de fuir chaque fois que cela se révèle nécessaire et est constamment sur ses gardes de crainte d'être mise à nu et de décevoir ses nombreux partenaires. Comme un kaléidoscope aux facettes changeantes, elle change de personnalité et de vécu avec une constance frisant l'obsession. Sabina est l'épouse d'un homme stable qui lui sert de père bienveillant et dont elle a besoin car il représente le seul élément solide dans sa vie. Mais ses sentiments à son égard ressemblent beaucoup à ceux d'une adolescente qui se sent coupable parce qu'elle quitte la maison pour aller se livrer à des occupations interdites. Sabina ne peut se plier aux exigences de la vie quotidienne et banale et se rebelle contre celles-ci. Les restrictions, les interdictions et les temps morts sont une prison pour la jeune femme. Les limites, l'appartenance, le foyer et quelque engagement que ce soit représentent pour elle un moule rigide dans lequel elle aurait l'impression d'être enfermée à jamais: «Je veux l'impossible, je veux voler tout le temps, détruire la vie quotidienne, courir au-devant des dangers de l'amour...[5]»

C'est la lune et non le soleil qui est la planète personnelle et la source particulière de lumière pour Sabina. Son domaine est le monde de la nuit et de l'inconscient. À seize ans, elle prenait des bains de minuit parce que tout le monde prenait des bains de soleil et parce qu'elle avait entendu dire que c'était dangereux. Elle est comme la lune, dont une face est cachée; elle vit plusieurs vies et plusieurs amours à la fois, aussi mystérieux les uns que les autres, se dérobant au temps indiqué par l'horloge en se plongeant dans l'infini du rêve. Tirant son énergie des rayons de la lune, Sabina s'imagine qu'elle connaît la vie lunaire dans laquelle il n'y a «... ni foyer, ni enfants; où les amants sont libres, jamais enchaînés l'un à l'autre». C'est vers cet idéal qu'elle tend de toutes ses forces.

Pour vivre cette vie libre et aventureuse, Sabina raconte à son mari qu'elle est actrice et qu'elle doit suivre sa compagnie en tournée. D'une certaine manière, elle est une actrice qui se compose un nouveau visage et change de costume chaque jour et à chaque nouvel amant. Mais, contrairement à une actrice professionnelle, elle n'en finit jamais avec ses rôles, car les hommes avec lesquels elle les joue la croient et seraient furieux d'être trahis s'ils apprenaient la vérité. Sabina ne peut jamais quitter la scène pour rejoindre la vraie Sabina.

Elle réalise un jour que c'est son père qui «est en elle, dirigeant ses pas»; qu'il a pris la forme du pendant féminin du don Juan qu'il a été dans sa vie. Comme Sabina à l'égard de son mari, son père dépendait de la loyauté et du sens pratique de sa femme, sur lesquels il s'appuyait pour vivre une multitude d'aventures amoureuses. Elle se demande:

> Était-ce Sabina qui courait maintenant vers ses rituels de plaisir, ou était-ce son père à l'intérieur d'elle-même, le sang de son père la guidant dans ses amours, lui dictant ses aventures, ce père qui était si inexorablement lié à elle par les liens de l'hérédité qu'elle ne pourrait jamais s'en détacher suffisamment pour savoir lequel des deux était Sabina, lequel des deux était son père dont elle tenait le rôle grâce à l'alchimie d'un amour mimétique.
>
> Où était Sabina?[6]

La question, «Où est Sabina?», s'impose d'une manière de plus en plus insistante à sa conscience. La culpabilité, la honte et l'anxiété commencent à la submerger et elle réalise que ses angoisses relatives à l'amour ne sont pas très différentes de celles que ressent un drogué ou un joueur, c'est-à-dire qu'elle est victime, comme eux, d'une pulsion irrésistible, suivie de dépression et de culpabilité, suivies à leur tour de la pulsion initiale. La drogue de Sabina est l'amour, et les conséquences de cette accoutumance sont les mêmes que la drogue pour un drogué: dispersion, désespoir et incapacité de *se centrer*. Elle contemple la voûte céleste et se rend compte que celle-ci ne lui offre en rien la protection du dôme d'une cathédrale, qu'elle n'est rien d'autre qu'un «infini sans limites» auquel elle ne peut «s'accrocher». Sabina pleure et aspire à ce que quelqu'un la prenne dans ses bras; elle veut cesser de courir d'un amant à l'autre; elle ne veut plus être dispersée et perturbée.

Une nuit, alors qu'elle est plongée dans le marasme le plus profond, elle donne un coup de fil anonyme dans l'espoir de trouver aide et réconfort. L'homme qui lui répond est un détecteur de mensonges (symbolisant, en fait, les possibilités qui existent en Sabina de détecter la déception qu'elle éprouve à l'égard de sa conduite et d'en arriver à un plus haut niveau de conscience et de responsabilité). Le détecteur de mensonges accepte la confrontation; il demande à Sabina ce qu'elle veut confesser et lui déclare qu'elle sera probablement son juge le plus sévère. La jeune femme lui demande de l'aider à se libérer de la culpabilité qui la torture, culpabilité doublée d'aliénation qui, paradoxalement, procède de la liberté sans bornes qu'elle a toujours recherchée. Mais l'homme lui répond qu'elle seule est en mesure de se libérer et que cette libération ne viendra que lorsqu'elle sera capable d'aimer. Lorsque Sabina proteste devant cette déclaration et essaie de se justifier en affirmant qu'*elle a aimé* — citant, pour appuyer ses dires, le nom de ses nombreux amants —, il réplique qu'elle n'était amoureuse que des projections qu'elle faisait sur ces hommes: défenseurs la prenant en charge, don Juans irrésistibles, juges perpétuant dans sa vie le rôle tenu par ses parents. Plutôt que de les considérer comme des individus à part entière, dotés d'une identité propre, elle les parait de costumes collant aux mythes divers qu'elle voulait concrétiser.

Le changement, pour Sabina, ne s'accomplira que dans les larmes résultant de la trahison qu'elle inflige aux autres et à elle-même. Jusque-là, elle a essayé de nier sa culpabilité et de se trouver une autojustification pour son incapacité de s'engager et son refus d'admettre les limites, alors qu'il lui faut apprendre que la continuité réside dans la tension existant entre le changement et la permanence. Cette révélation s'impose à elle un jour où elle écoute les quatuors de Beethoven. Elle fond en larmes.

Le dilemme de ce type de *puella*, c'est qu'elle essaie de se donner totalement au hasard, à l'imprévu, et refuse d'accepter les limites et les obligations provenant des autres et d'elle-même, alors qu'elle devrait justement les accepter et s'engager. La solution de ce problème réside dans l'acceptation du paradoxe du fini et de la possibilité. La composition des quatuors de Beethoven, en exprimant ce paradoxe, le transcende. La création, dans l'une ou l'autre forme d'art, constitue un moyen d'atteindre ce but. Anaïs Nin a transformé, par l'écriture, sa vie de *puella*, donnant ainsi forme à ses intuitions et rassemblant réalité et possibilité.

Une jeune femme pleine de vivacité m'appela un jour pour me demander un rendez-vous. Lorsque je m'enquis de la raison pour laquelle elle voulait faire une thérapie, elle me répondit que l'homme qu'elle aimait — et qui l'aimait aussi — lui avait déclaré qu'à moins qu'elle ne «s'installât» dans la vie et fît le point sur ses propres valeurs, il ne pourrait la considérer comme une partenaire valable. Le but de cette jeune femme était donc de se définir et de cesser de se disperser dans des relations superficielles ainsi qu'elle avait tendance à le faire. Elle passait des bras d'un homme à ceux d'un autre, et ne se sentait importante que dans la mesure où non seulement elle faisait l'amour avec beaucoup d'hommes, mais où ceux-ci étaient de nationalités différentes. À dix-neuf ans, elle avait eu des relations sexuelles avec une trentaine d'hommes de contrées différentes. Elle était très directe et spontanée et pouvait suivre un étranger tout juste rencontré dans la rue. Je lui avais demandé de noter ses rêves, mais elle oubliait souvent de m'apporter ses narrations ou me les remettait écrites sur de vieilles factures, sur du papier hygiénique ou sur n'importe quel bout de papier. Lorsque je la questionnai sur son enfance et sur son adolescence, je découvris que sa mère aurait voulu qu'elle reste une «vierge» et que son père, affectivement parlant, avait été absent. La petite fille avait d'abord été le chouchou de sa maman, la «bonne petite fille», puis elle s'était révoltée et avait concrétisé l'aspect non accepté de sa mère. Elle fit un jour un rêve dans lequel elle était un caniche, le petit chien favori de sa mère, à qui cette dernière offrait une friandise empoisonnée. Elle avalait celle-ci puis la vomissait aussitôt. Psychologiquement, c'est ce qu'elle avait fait. Elle voulait être l'animal favori de sa maman, mais elle vomissait la friandise de la «vierge». C'est pourquoi elle se conduisait de manière tout à fait opposée aux principes de sa mère en couchant à droite et à gauche. Son père n'était pas assez présent dans sa vie pour l'aider à acquérir le sens de ses propres valeurs féminines. La tâche de cette femme était de comprendre que son existence dissipée n'avait pour but que d'exprimer sa révolte contre sa mère, mais que cela l'empêchait d'établir une véritable relation avec l'homme qu'elle aimait.

4. LA MARGINALE

Le modèle suivant est celui de la *puella* dont le père, devenu un objet de honte, est rejeté par la société ou se révolte contre elle. Lorsque cette femme s'est identifiée à son père et lui demeure attachée de manière positive, elle rejette alors la société qui a rejeté son père. Il peut également arriver qu'après le rejet initial du père, l'aspect caché enfoui dans son inconscient émerge et qu'elle concrétise alors ce modèle. Dans ce genre de situation familiale, la mère a généralement pris les rênes du pouvoir, sûre de son bon droit et ne perdant jamais l'occasion de stigmatiser le «mauvais père». Si la fille adopte l'un ou l'autre des comportements du père, la mère la châtie, la menaçant des mêmes malédictions que celles qu'elle fait peser sur son époux. Lorsque la jeune fille ne suit pas les «bons conseils» de sa mère (si elle le fait, elle adopte alors le modèle de l'amazone), elle se rebelle et répète le modèle du père, mimant alors son côté destructeur.

Dostoïevski a décrit ce modèle par le biais de plusieurs de ses personnages féminins ayant eu un père alcoolique ou accroché à quelque habitude créant une dépendance. Il m'a toujours semblé que ce type de *puella* a à l'intérieur d'elle-même un père souterrain, dostoïevskien, qui refuse avec cynisme l'idée d'être aidé, qui ne veut pas changer ni changer la société qui l'a rejeté. Ces femmes sont susceptibles de passer leur vie dans la passivité, voire l'inertie, et de prendre le chemin qui mène à l'alcoolisme, ou à la drogue, ou à la prostitution, ou aux idées suicidaires, ou aux histoires d'amour compulsif. Ou bien elles épousent un homme semblable à leur père et tombent alors dans la dépression et le masochisme qui sont le lot d'une vie ratée et de relations inabouties. Comme Perséphone, ces femmes ont été attirées dans le monde souterrain de Pluton et elles se contentent de rester là, passives, avec leur ego diminué ou éteint, et aucun animus* en développement pour les aider à se sortir de là.

Arthur Miller a décrit ce type d'existence dans sa pièce *Après la chute,* modelant en partie le personnage de Maggie sur son ex-femme Marilyn Monroe. Au début, Quentin, le protagoniste masculin, trouve Maggie très attirante; elle est candide et très libérée sur le plan sexuel. De plus, la jeune femme n'a pas l'air d'être sur la défensive et elle l'admire. Lors de leur première rencontre, Quentin réalise que Maggie est très sensible aux avances masculines et qu'elle n'a pas la moindre intuition pouvant lui permettre de reconnaître ceux qui pourraient la blesser et être dangereux pour elle. Quant à Maggie, elle considère très vite Quentin comme un dieu et croit que sa valeur à elle dépend de la valeur que cet homme lui accorde. Elle n'a bénéficié d'aucune influence paternelle positive. Son père a quitté le foyer lorsqu'elle n'était qu'un nourrisson, déniant même sa paternité. Elle a donc grandi comme une bâtarde. Sa mère, honteuse de cette situation, est devenue très collet monté et a rejeté sa fille. Lorsque Quentin fait son apparition, Maggie projette sur lui le pouvoir qui va la sauver, projection qu'il trouve extrêmement gratifiante. Mais à ce pouvoir elle ajoute bientôt la responsabilité de sa vie, qu'elle confie entièrement à Quentin. Au fond d'elle-même, Maggie croit qu'elle ne vaut rien, allant jusqu'à s'appeler «Miss Rien» lorsqu'elle remplit le registre d'un hôtel. Elle dit:

> Je pourrais écrire Miss Rien dans le registre... — R-I-E-N, comme rien. J'ai trouvé ça un jour parce que je ne peux jamais me rappeler un nom d'emprunt. Alors il suffit que je pense à quelque chose qui veut dire rien. Et c'est moi.[7]

---

* L'animus représente pour Jung la partie masculine de la femme, tandis que l'anima représente la partie féminine de l'homme. (*N. D. T.*)

Dotée d'une estime et d'un respect d'elle-même aussi déri-
soires, Maggie a d'autant plus besoin de compensations. Au
début, Quentin (qui s'identifie à ce pouvoir de la sauver que
Maggie a projeté sur lui) arrive aisément à convaincre la jeune
femme de son adoration. Par la suite, quoi qu'il fasse, elle se
montre jalouse. Étant donné qu'elle ne possède aucune estime
d'elle-même à laquelle elle puisse se raccrocher, elle tombe
dans le désespoir et la dépression chaque fois qu'elle
s'imagine que Quentin n'est plus totalement à elle. Pour échapper à son marasme, elle se tourne vers l'alcool, une dépendance qui va symboliser son besoin désespéré d'être acceptée
inconditionnellement. Cette dépendance la confirme également dans sa conviction d'être réellement une «Miss Rien», la
dernière des dernières, une victime de la société. Et elle lui
permet en outre de donner libre cours à son cynisme et à son
agressivité — dissimulés jusque-là par sa candeur —, qu'elle
dirige bien entendu sur Quentin. Dans le même temps, elle
menace de se suicider, lui laissant entendre qu'il est le seul à
pouvoir la sauver. Finalement, Quentin, réalisant qu'il n'est
pas en son pouvoir de venir en aide à la jeune femme, persuadé qu'elle est seule à tenir sa vie en main, l'affronte et lui dit:

> Tu comprends, Maggie? Maintenant tu comprends? Tu
> essaies de me rendre responsable de ce que tu as fait...
> Mais maintenant je m'en vais, comme ça tu ne seras plus
> jamais victime. C'est toi, c'est ta main qui a fait cela... Tu as
> avalé ces pilules pour t'aveugler toi-même, mais si seule-
> ment tu pouvais dire: «J'ai été cruelle», cette abîme en toi
> disparaîtrait. Si tu pouvais dire: «J'ai été abandonnée, mais
> j'ai été aussi inexcusablement perverse que les autres, trai-
> tant mon mari d'idiot devant tout le monde; j'ai été totale-
> ment égoïste en dépit de ma générosité, j'ai été blessée par
> beaucoup d'hommes mais j'ai collaboré avec ceux qui m'ont
> persécutée...[8]»

Mais Maggie s'est tellement identifiée à son rôle de
victime qu'elle ne peut même pas l'entendre. Persuadée de
son innocence absolue, irrémédiablement enfermée dans son
rôle de victime, elle refuse de voir qu'elle n'est pas seulement
cette victime mais également la persécutrice de Quentin

autant que d'elle-même. Elle refuse de reconnaître qu'elle aussi est coupable. C'est pourquoi il lui est devenu impossible de pardonner et même de vivre. Elle finira par se suicider.

Le paradoxe qui se trouve à la base de ce modèle de *puella* est qu'en dépit de l'humiliation réelle, de la honte et du rejet subi dans le passé, débouchant sur la conviction que l'on est une victime et une bonne à rien, on ne peut s'engager sur le chemin de la guérison qu'en combattant cette conviction et en refusant de vivre dans une honte compulsive et de se croire constamment rejetée. Ceci exige que l'on accepte que l'on est à la fois innocente et coupable, et que l'on possède en soi le pouvoir de détruire et celui de sauver. Il est nécessaire de transformer les attitudes cyniques, le désespoir et le sentiment de rejet en espoir et de s'affirmer consciemment en ayant foi en la vie.

On trouve un exemple de cette transformation dans un film de Fellini, *Les nuits de Cabiria*. Cabiria est une fille des rues, une prostituée qui depuis l'enfance est une victime des hommes. Un jour, assistant à un spectacle, elle est invitée à monter sur la scène afin d'être hypnotisée. Elle révèle alors son passé peuplé d'hommes et ajoute qu'elle possède des économies. Après la représentation, un homme vient à elle et lui déclare qu'il l'aime. Les premiers temps, Cabiria est sceptique, mais elle finit par le croire et ils décident de se marier. Pour la première fois de sa vie, elle a l'impression d'avoir trouvé un homme en qui elle peut avoir confiance. Après la cérémonie du mariage, le couple, comme tous les jeunes mariés, se rend sur une certaine falaise donnant sur la mer. Tandis que Cabiria, tout à son bonheur, s'émerveille devant la mer, son mari essaie de la pousser dans le vide, lui arrache son sac, qui est tout ce qu'elle possède, et s'enfuit. Cabiria arrive à sauver sa vie mais pas son avoir. Après cet événement traumatisant, elle se dirige à pied vers la ville. Un groupe d'inconnus la croisent, chantant en s'accompagnant d'instruments de musique. Cabiria, toujours sur le coup de l'horrible traitement qu'elle vient de subir, les regarde à peine. Rejetée et humiliée comme elle l'est, il lui serait plus facile de refuser tout contact humain et de se retrancher dans son isolement, mais, soudainement, elle se met à sourire et à chanter avec eux, acceptant ainsi la vie malgré ses horreurs et ses tragédies. Son chant et son sourire sont une courageuse affirmation de vie, en dépit des innombrables vicissitudes de cette dernière. Le rire de Cabiria triomphe de la défaite. L'humour et l'acceptation des paradoxes de l'existence sont ici un atout essentiel, renforcé par ce pouvoir de retomber sur ses pattes et cette confiance enfantine qui permet d'aller de l'avant quoi qu'il arrive.

Un problème de marginalité fréquent dans notre société se présente à beaucoup de femmes qui ont choisi d'être lesbiennes ou bisexuelles. J'ai rencontré cette énorme culpabilité chez beaucoup de mes clientes. Cette culpabilité se présente souvent lorsque la femme a eu un mauvais père. En choisissant d'être lesbienne, elle «sort du rang», comme son père. Si sa mère critique son choix, la fille se sent alors mauvaise comme le père; une identification inconsciente avec lui se fait alors, et elle n'est plus libre de choisir son option sexuelle, qu'elle soit hétérosexuelle, bisexuelle ou lesbienne. Une de mes clientes fit un rêve où un personnage ressemblant à un grand-père lui déclarait que son thérapeute avait diagnostiqué son mal: elle était «perverse». Un de ses problèmes était de s'accepter et d'abandonner le rôle de bonne petite fille qu'elle avait joué lorsqu'elle était enfant, en particulier auprès de sa mère dont elle était la petite fille chérie. Ceci voulait dire qu'elle devait acquérir la conviction qu'elle pouvait être celle qu'elle avait besoin d'être sans être jugée, sur le plan moral, par son thérapeute. Il était nécessaire qu'elle brise son identification à l'image négative d'elle-même qu'elle s'était forgée à cause du comportement de son père et du jugement moral de sa mère.

LE DÉSESPOIR DE LA *PUELLA*

Les modèles qui précèdent ne doivent pas être considérés comme des «types» fixes mais comme des descriptions de phénomènes appartenant aux modes de vie adoptés par quatre éternelles adolescentes différentes. Et chaque modèle n'exclut pas des éléments des autres types — on peut en effet retrouver ceux-ci, dans certaines circonstances, chez d'autres *puellas*. Mais, même s'ils ont entre eux des traits communs, il n'en reste pas moins que chaque modèle possède des éléments prédominants. Ainsi, la révolte est un trait assez constant chez la femme aérienne comme Sabina, et le besoin pressant et extrêmement fort d'être admirée par les hommes se retrouve non seulement chez la «petite poupée chérie» mais également chez la femme aérienne et la marginale. Quant au monde imaginaire, il est présent dans la vie de la *puella* timide et fragile aussi bien que dans celle de l'aérienne, bien que cette dernière le contrétise dans le monde extérieur alors que la fille de verre s'y enferme.

Ces *puellas* ont ceci en commun qu'elles s'accrochent à la fois à l'innocence et à la culpabilité absolues, qui sont en fait les deux côtés de la même médaille et qui engendrent une dépendance à l'égard d'une autre personne qui va accepter ou condamner. Ce qui implique un refus de prendre en main sa propre existence et un manque d'esprit de décision et de discernement. Ces responsabilités sont laissées aux autres. On remarque également un piètre rapport avec les limites — que ce soit en refusant de les accepter (la femme aérienne et la marginale) ou en acceptant des limites déraisonnables (la recluse timide et la «petite poupée chérie»). Ces deux tendances accordent une importance à la possibilité et ignorent les contraintes dans la mesure où le rapport avec les limites est faussé. La *puella* vit ce tout qui se présente à elle en évitant l'aspect concret de l'engagement. Dans *La maladie à la mort,* Kierkegaard a décrit ce type d'existence comme un aspect du désespoir.

> Si maintenant la possibilité en se donnant libre cours renverse la nécessité, de sorte que le moi dans la possibilité déborde de lui-même sans garder aucune nécessité à laquelle revenir, on a alors le *désespoir de la possibilité.* Ce moi devient une possibilité abstraite qui se démène et s'épuise dans le possible, mais en restant sur place et sans parvenir quelque part; car le nécessaire est justement le lieu; devenir soi-même, c'est justement un mouvement sur place. Devenir, c'est un mouvement en partant d'un point; mais devenir soi-même, c'est un mouvement sur place.
>
> La possibilité semble alors au moi de plus en plus grande; toujours plus de choses deviennent possibles parce

que aucune ne devient réelle. Il semble à la fin que tout soit possible et cela se produit justement quand l'abîme a englouti le moi.[9]

Comme Kierkegaard le démontre, se cantonner dans la possibilité peut prendre une des deux directions principales, celle des désirs ardents ou celle de la mélancolie romantique. Il me semble que la «petite poupée chérie» et la femme aérienne tendent vers le premier schéma, la fille de verre et la marginale vers le second. Mais chaque cas se solde par une incapacité d'agir. L'action authentique exige la synthèse et l'interpénétration du possible et du nécessaire. C'est cette synthèse, selon Kierkegaard, qui constitue une des bases du moi.

Le problème capital de la *puella* est de s'affirmer en tant qu'individu, d'autant plus qu'elle a tendance à accepter l'identité que les autres lui imposent, quand il ne s'agit pas tout simplement d'accepter son absence. Elle s'est autorisée à devenir un objet, à vivre une identité qui n'est pas la sienne, bloquant ainsi tout accès à la part de mystère qui est en elle. Ce qu'il y a d'ironique là-dedans, c'est que cette identité vide et floue de caméléon et ce cantonnement dans la possibilité sont peut-être une vaine tentative de la *puella* pour entrer en contact avec le mystère de son âme, en d'autres mots pour «être mystérieuse». Mais le mystère authentique ne peut être saisi et fixé de cette manière. Il est essentiel, pour qu'une femme établisse un rapport vrai avec son propre mystère, qu'elle discerne et qu'elle évalue ses potentialités et ses limites avec objectivité, et qu'elle concrétise cette synthèse. La *puella* doit accepter sa force potentielle et développer celle-ci afin d'arriver à cette concrétisation et de s'engager envers son être mystérieux unique.

Le problème de la *puella* réside dans ce que Kierkegaard appelle «le désespoir-faiblesse: le désespoir que l'on ressent quand on n'a pas la volonté d'être soi-même». On réalise alors qu'on n'est pas en contact avec le moi et qu'on se sent trop faible pour décider d'être soi-même. C'est donc la faiblesse et l'incapacité d'opter pour une vie plus signifiante qui est la cause du désespoir. L'ego de la *puella* s'est adapté en se développant dans la faiblesse — elle s'est contentée d'être passive et de jouer le rôle qui lui a été assigné par les autres. Même la *puella* aérienne, libre comme l'air, reste faible car, au lieu de concrétiser ses possibilités, elle se contente de jouer avec elles. C'est pourquoi elle ne s'impose jamais dans la société. Le fait de vivre perpétuellement dans le règne de la possibilité engendre la faiblesse, et la *puella* devient incapable d'accomplir quoi que ce soit. Comme Kierkegaard le décrit avec une grande justesse, elle plonge dans les abysses de la possibilité. La *puella*, une fois consciente du modèle dans lequel elle est enfermée, réalise qu'elle est piégée et ne peut évoluer. Elle a pourtant elle aussi quelque chose à apporter au monde, même si elle ne sait pas comment s'y prendre. Il doit être terriblement frustrant de savoir que l'on a quelque chose à apporter et de se sentir incapable de le faire. C'est alors que l'on connaît le «désespoir-faiblesse». Cette tension peut mener au suicide, à l'isolement, à l'adaptation ou à la révolte. Mais elle peut également mener à la transformation.

VERS LA TRANSFORMATION

La première étape sur le chemin de la transformation est de prendre conscience de ce que l'on est déconnecté de soi-même, de savoir et de sentir que l'on est plus riche que l'on ne pense, que l'on possède un pouvoir plus grand au-delà des pulsions de l'ego, pouvoir avec lequel on n'a pas de contact et qui fréquemment se révèle dans les rêves. Cette prise de conscience, accompagnée de souffrance, mène à la deuxième étape, indispensable, qui consiste à accepter cette souffrance. Jusqu'à l'étape finale — très surprenante si l'on considère les précédentes — au cours de laquelle nous réalisons que, en dépit de notre faiblesse, nous possédons aussi une force qui peut nous aider à accéder à ce pouvoir plus grand. Du point de vue de Kierkegaard, une conscience plus aiguë du déses-poir-faiblesse permet de découvrir que se cantonner dans cette faiblesse est une forme de défi, une sorte de complai-sance à l'égard de soi-même qui fait que nous refusons d'accepter notre force potentielle.

L'étape finale, à mon sens, consiste à *accepter* la force du moi. Cette acceptation comprend une prise de conscience et un choix, choix que l'on ne doit pas confondre avec la volonté de l'ego. C'est sur ce choix que repose l'acceptation, par notre être, du pouvoir du moi. Pour Kierkegaard, il s'agit, au bout du compte, d'un acte de foi qui requiert toute notre réceptivité.

D'un point de vue psychologique, la première étape, celle de la reconnaissance consciente, permet de voir clairement le modèle qui est en question. L'identification consciente est un premier pas sur la voie au bout de laquelle on va se libérer des schémas négatifs. *Rumpelstiltskin,* un conte de Grimm, le démontre clairement[10]. On y découvre un pauvre meunier, père éternel adolescent qui, pour acquérir de l'importance aux yeux du roi, lui raconte que sa merveilleuse fille peut, en tressant de la paille, changer celle-ci en or. Le roi exige que la jeune fille prouve ses talents, mais elle ignore comment accomplir cette merveille sortie tout droit de l'imagination débridée de son père. Alors elle se met à pleurer. Arrive à ce moment-là un petit homme qui lui propose d'accomplir ce prodige à la condition qu'elle lui donne quelque chose en échange. Elle lui promet tout d'abord un collier. Il change la paille en or et prend le collier. Mais le roi veut plus d'or encore, et elle promet un anneau au petit homme afin qu'il exécute cette nouvelle demande. Le roi, en exigeant de l'or pour la troisième fois, ajoute cette promesse: si la jeune fille lui donne une fois de plus ce qu'il désire, il la prendra pour épouse. Apparaît une fois de plus le petit homme qui demande, cette fois, en échange de ses services, le premier enfant qu'aura la future épouse. Celle-ci se dit qu'il n'aura pas la cruauté de l'obliger à tenir sa promesse et, comme elle ne sait vers qui d'autre se tourner, accepte de donner son premier-né. Et le petit homme accomplit le prodige. La jeune fille devient reine et, un an plus tard, met au monde un bel enfant. Elle a bien entendu oublié sa promesse, mais pas le petit homme, qui se présente à elle pour réclamer son dû, à moins qu'elle n'arrive à découvrir quel nom il porte. Jusqu'ici nous avons un schéma classique de *puella*: un père éternel adolescent qui, en raison de sa faiblesse et de son incapacité de vivre dans le concret, s'attend à ce que sa fille accomplisse des choses irréalisables; le sentiment d'impuissance ressenti par cette fille devant cette situation impossible; ensuite, une

promesse irréaliste à la figure ou au modèle intérieur contraignant qui l'aide à se sortir d'affaire dans l'immédiat mais exige
et pourrait même lui prendre ce qu'elle possède de plus
précieux. Dans le conte, la fille découvre le nom du petit
homme grâce à un messager qu'elle a envoyé aux quatre
coins du monde afin de découvrir tous les noms qu'il pourrait
avoir. Lorsqu'elle dit au petit homme que son nom est
Rumpelstiltskin, celui-ci entre dans une terrible colère: il
saute sur ses pieds avec une telle force que ceux-ci s'en-
foncent dans le sol et qu'il se coupe en deux. L'identification
du petit homme permet à la jeune femme de garder son
enfant, symbole de son potentiel, et désactive le vieux
complexe contraignant symbolisé par Rumpelstiltskin. C'est
ainsi qu'en reconnaissant le type de réaction adopté face au
comportement d'un père négligent, une fille peut s'en libérer
pour se tourner vers un mode de vie plus authentiquement
personnel. La désignation du modèle donnera à la *puella* une
autre perspective de ce modèle et la possibilité de s'en distan-
cier ainsi qu'une vision plus nette des raisons pour lesquelles
elle s'est arrêtée dans son développement psychologique.
Cette désignation demande cependant une recherche active
— symbolisée dans le conte par le messager envoyé de par le
monde; c'est un processus actif qui demande une vigilance
constante.

La compréhension du désespoir-faiblesse implique une
autre tâche qui consiste, pour la *puella*, à accepter la souffrance inhérente au schéma dans lequel elle est enfermée; en
d'autres mots, à accepter que cette souffrance soit utile. Une
partie du problème de la *puella* réside dans le fait qu'elle
ressent l'étendue de sa faiblesse et de sa dépendance, et
qu'elle se considère comme une victime. Mais lorsque l'on se
considère comme une victime, on refuse de prendre ses
responsabilités et on se conduit comme une petite fille innocente. C'est pourquoi la compréhension de la faiblesse et
l'acceptation de la souffrance demandent que nous affron-
tions notre aspect caché, cette part de nous-mêmes que nous
nions. Sous l'innocence enfantine se cache souvent une
vilaine manipulation: les hommes se laissant très facilement
séduire et manipuler par le charme féminin, la «petite poupée
chérie» et la fille aérienne peuvent aisément rabaisser les

hommes dans le secret de leur âme. La marginale les manipule par le biais des menaces autodestructrices et des projections de pouvoir grâce auxquelles elle les a piégés. La fille de verre fait en sorte qu'ils soient sans défense devant sa fragilité et sa sensibilité, de sorte qu'ils se sentent pareils à des balourds, des éléphants dans un magasin de porcelaine. La face cachée de la *puella* est liée au pouvoir — un pouvoir qu'elle n'a pas accepté vraiment et de manière responsable. Il arrive souvent que ce pouvoir ait été investi, dans la psyché, par une autre figure, celle du vieil homme pervers, un personnage méchant et colérique comme Rumpelstiltskin. Ce personnage doit lui aussi être affronté. Le processus d'acceptation de la souffrance comprend une lutte avec cette figure symbolique qui est, à un niveau spirituel profond, une bataille avec le diable. Lorsque la psyché a été profondément blessée, les forces négatives prennent un caractère démoniaque et doivent également être affrontées. Du point de vue de Kierkegaard, lorsqu'un individu prend conscience de ce que sa complaisance envers sa propre faiblesse est en fait un refus d'accepter sa force et la grâce de Dieu, il réalise que ce refus est démoniaque et ne constitue qu'un attachement orgueilleux au pouvoir de son ego. On a partiellement accepté la souffrance lorsqu'on réalise qu'on a vécu dans les griffes du démon.

La solution ultime est d'accepter sa force intérieure et de s'y accrocher plutôt que d'abandonner et de se conformer aux comportements habituels de fuite, de retrait, de résignation ou de révolte. Il s'agit là bien sûr du problème crucial de l'éternelle adolescente, celui qu'elle a le plus de difficulté à résoudre. Mais si elle a déjà pris conscience des schémas négatifs dans lesquels elle s'est laissé enfermer, si elle a accepté de souffrir et de se battre avec ses démons, elle sera amenée tout naturellement à accepter le pouvoir et la force qui résultent de la prise de conscience et de la décision de choisir. Ceci, néanmoins, est un cheminement graduel qui peut prendre plusieurs années, comme il fallut sept ans pour que l'héroïne du conte *La jeune fille sans mains* arrive à neutraliser les interventions du diable (dues à un paternage inadéquat) et épouse le roi. Avant ce mariage, elle doit attendre patiemment dans la forêt, dans l'acceptation de son destin. Une attente patiente, réfléchie, semble être une des clés de la réussite.

Une dernière question se pose: De quelle manière commence le processus de transformation? Quand et où la force intérieure de la *puella* lui est-elle révélée? Cette force *est* en elle, mais il faut qu'elle la découvre, qu'elle l'accepte. La révélation peut se faire de différentes manières. Elle peut surgir au cours d'une rencontre avec une autre personne, comme pour Laura dans *La ménagerie de verre,* ou grâce à une relation, comme pour Maggie dans *Après la chute,* bien que Maggie, elle, la refuse. Elle peut naître également d'une crise extérieure, ou parce que la *puella* apparaît à quelqu'un dans toute sa faiblesse (ou sa force), comme Nora dans *Maison de poupée.* Elle peut survenir à la suite d'une crise intérieure, comme chez Sabina dans *Une espionne dans la maison de l'amour,* ou grâce à deux événements synchrones, comme dans *Les nuits de Cabiria,* lorsque l'héroïne rencontre un groupe de chanteurs alors qu'elle vient d'être trahie. Cette force peut aussi se révéler dans un rêve, que l'on peut analyser ensuite en profondeur, ou être consécutive à une émotion violente, à une crise de colère ou à une bagarre au cours desquelles on prend conscience, brutalement, de sa force. Les possibilités sont innombrables. Le secret est de rester en alerte et constamment disponible.

Pour résumer, la tâche de la *puella*, au cours de son processus d'autotransformation, consistera à abandonner ses vieux schémas de dépendance enfantine, de puérilité et d'impuissance et à accepter la force qui est en elle. Elle sera alors en mesure de vivre en accord avec ses propres valeurs et capable de les utiliser. Si elle accepte ce pouvoir et cette force, son innocence enfantine se transformera en élan, en vigueur, en spontanéité et en ouverture d'esprit, qui susciteront alors sa créativité et lui permettront de s'engager dans de fructueuses relations.

CHAPITRE QUATRE

L'AMAZONE

Qu'on les croie inoffensives met les femmes
en fureur;
alors elles essaient de s'enlaidir en singeant
les hommes.
Jurant, mâchouillant des cigares et brûlant le
couvre-lit,
Buvant cul sec, l'œil injecté de sang, gonflées
d'orgueil
Dans l'attente de la gloire: elles écrivent
comme des hommes!

Carolyn Kizer.

Selon la légende, les amazones méprisaient les hommes et les écartaient de tous les postes de commande. Elles en faisaient souvent des esclaves et les utilisaient comme des outils de procréation. Elles éliminaient ainsi le père biologique en le condamnant à l'anonymat. Les filles étaient traitées avec tous les honneurs alors que les garçons étaient souvent mutilés et réduits à l'état de domestiques. Les figures mâles étaient dépotentialisées, sur le plan tant physique que social. Les hommes n'étaient pas nécessaires dans cette société où les femmes s'emparaient de tous les postes masculins. Elles avaient la réputation d'être des conquérantes et des chasseresses, des guerrières implacables, des cavalières courageuses et téméraires. Et elles enseignaient ce mode de vie à leurs filles. La légende ajoute qu'elles brûlaient leur sein droit afin de ne pas être gênées dans le tir à l'arc et le maniement de la lance. Selon certains récits, les amazones étaient les filles d'Arès, le dieu de la guerre et de l'agression, de là leur conception de la vie et leur position de «femmes guerrières».

La figure de l'amazone pourrait être une expression mythologique de la manière dont beaucoup de femmes vivent leur vie lorsqu'elles s'identifient inconsciemment au masculin. Si une femme a eu un père négligent ou irresponsable, c'est-à-dire absent sur le plan émotionnel, un des moyens que souvent elle choisira pour pallier ce manque sera d'être en réaction contre lui. Dans un tel cas, il est vraisemblable qu'elle rejettera son père (et même tous les hommes) au niveau conscient car elle aura perdu la confiance qu'elle avait en lui. Lorsque cette réaction psychologique se produit, la tendance de la fille est de s'identifier inconsciemment au principe masculin. Contrairement aux femmes dont l'identité repose sur le fait d'être des filles sans défense (un des modèles de la *puella*), l'amazone s'identifie à la force et au pouvoir masculins.

De manière similaire, si les représentations culturelles du principe paternel ont failli à leur devoir de mettre en valeur le féminin, une réaction contre ces autorités irresponsables paraît inévitable. Ce modèle semble prévaloir dans notre culture contemporaine.

L'amazone moderne a été décrite par June Singer dans *Androgyny*:

> L'amazone est une femme qui a adopté les caractéristiques qui sont généralement associées au tempérament masculin et qui, plutôt que d'intégrer les aspects masculins qui pourraient la renforcer en tant que femme, s'identifie au pouvoir masculin. Simultanément, elle renonce à sa capacité d'établir des relations aimantes, capacité qui, traditionnellement, a été associée au féminin. En conséquence, l'amazone qui prend le pouvoir tout en niant sa capacité de se lier affective-

ment à d'autres êtres demeure unidimensionnelle et devient la victime des caractéristiques qu'elle a voulu accaparer.[1]

Il arrive souvent qu'une femme qui s'est investie d'une identité masculine en réaction à un père irresponsable soit coupée de la vie en raison de sa soif de pouvoir, système de défense sans lequel elle ne peut prendre le contrôle. En fait, elle est emprisonnée dans «l'armure de l'amazone», une *persona*** puissante qui ne correspond pas toujours à sa personnalité de base car elle s'est formée consécutivement à une réaction négative et non dans son *centre* féminin. Cette femme est souvent coupée de ses sentiments, de sa réceptivité et ne bénéficie pas de la force de ses instincts féminins.

Nous avons assisté à notre époque et dans notre culture à l'émergence d'une réaction féminine contre les «Pères», réaction contre l'autorité masculine collective. Et nous avons été témoins ou avons participé à une revendication des femmes ayant adopté un style de vie «amazonien» qui pourrait être, à ce jour, la plus importante de toute l'histoire. L'autorité masculine collective a dévalué la féminité de telle sorte qu'elle ne peut même plus établir avec cette dernière une relation harmonieuse et responsable. Au lieu de cela, elle reste unidimensionnelle et irrationnelle dans sa vision étroite du féminin. L'autorité masculine collective s'est comportée comme un père négligent à l'égard du féminin. Les efforts concertés des femmes pour changer cette situation culturelle ainsi que pour lutter et comprendre le sens de leur existence dans son essence féminine a été un des plus grands événements «éveilleurs» de conscience autant pour les hommes que pour les femmes. Pourtant, il n'en reste pas moins que la tendance à s'identifier et à imiter le masculin perdure. Cette tendance nie les différences entre hommes et femmes. Lorsque les femmes veulent remporter des triomphes masculins en imitant les hommes, l'unicité du féminin est subtilement sous-évaluée, car leur conduite est marquée par ce postulat sous-jacent voulant que le masculin soit plus puissant. Ce genre de réaction de la part des femmes s'explique

---

* La persona est le masque social dont la fonction est de mettre l'individu en rapport avec le monde extérieur. *(N.D.T.)*

par le fait que le domaine féminin a été dévalué dans notre culture. Le vrai défi n'est-il pas, en fin de compte, d'apprendre à apprécier à sa juste valeur ce qui est propre au féminin? Rilke, en 1904, décrivait ce défi de façon frappante dans *Lettres à un jeune poète*:

> La jeune fille et la femme, dans leur développement propre, n'imiteront qu'un temps les manies et les modes masculines, n'exerceront qu'un temps des métiers d'hommes. Une fois finies ces périodes incertaines de transition, on verra que les femmes n'ont donné dans ces mascarades, souvent ridicules, que pour extirper de leur nature les influences déformantes de l'autre sexe. La femme qu'habite une vie plus spontanée, plus féconde, plus confiante, est sans doute plus mûre, plus près de l'humain que l'homme — le mâle prétentieux et impatient, qui ignore la valeur de ce qu'il croit aimer, parce qu'il ne tient pas aux profondeurs de la vie, comme la femme, par le fruit de ses entrailles. Cette humanité qu'a mûrie la femme dans la douleur et dans l'humiliation verra le jour quand la femme aura fait tomber les chaînes de sa condition sociale. Et les hommes qui ne sentent pas venir ce jour seront surpris et vaincus. Un jour (des signes certains l'attestent déjà dans les pays nordiques), la jeune fille sera; la femme sera. Et ces mots «jeune fille», «femme», ne signifieront plus seulement le contraire du mâle, mais quelque chose de propre, valant en soi-même; non point un simple complément, mais une forme complète de la vie; la femme dans sa véritable humanité.[2]

En ce qui me concerne, je crois que la réaction «amazonienne» contre le père irresponsable et non engagé, qu'elle se manifeste sur le plan culturel ou personnel, est une phase nécessaire du développement tant culturel que personnel. Mais, comme Rilke, je pense qu'il ne s'agit là que d'une étape dans le processus du développement féminin. Dans ce chapitre, j'ai l'intention d'explorer quelques-uns des modes de vie consécutifs à la réaction «amazonienne» au père négligent; autrement dit, je parlerai des «armures» qui protègent du père irresponsable. J'essaierai de voir si une transformation est possible au-delà de l'aspect ayant trait à la réaction, qui déboucherait sur un féminin authentique et concret. Et une fois encore, j'aimerais souligner que les modèles traités ne sont pas des types ou des catégories dans lesquels les femmes doivent nécessairement s'insérer[3]. Il ne s'agit que de descriptions de phénomènes concernant les différents modes de comportements qu'une femme peut adopter en réaction à un père négligent.

1. LA SUPERSTAR

Une des réactions les plus courantes contre un père irresponsable est de *réussir* dans le cadre du travail ou dans un autre domaine, c'est-à-dire là où le père a échoué. La fille acquiert alors seule le sentiment de son identité et la discipline de travail que son père a été incapable de lui inculquer. Mais cette tendance à compenser les manques du père la pousse souvent à travailler et à poursuivre le succès au-delà des limites du raisonnable. Elle adopte le comportement typique du bourreau de travail. Il est dans ce cas fréquent que la femme se dessèche, car elle est coupée de ses émotions et de ses sources instinctives. Étant donné que l'identification au travail, et au travail seul, est insuffisante pour parvenir à l'épanouissement, elle tombe alors dans la dépression; elle a l'impression que sa vie n'a plus de sens.

Dans *La cloche de détresse*, Sylvia Plath éclaire ce mode d'existence et ses aspects préjudiciables. Esther Greenwood, la protagoniste à laquelle le vécu de l'auteur a servi de modèle, était une étudiante studieuse, toujours à la tête de sa classe, apte à résoudre n'importe quel problème de physique bien qu'elle détestât cette matière, et se contraignant au succès sans jamais tenir compte de ses sentiments profonds. Lorsque nous faisons sa connaissance, elle vient de se voir offrir, grâce à un concours de rédaction, un stage de formation d'un mois dans un magazine de mode de New York. Le magazine l'a installée, ainsi que les autres gagnantes du concours, dans un hôtel pour femmes appelé «Les amazones» — endroit luxueux principalement habité par des jeunes filles riches. Esther vient d'un milieu pauvre; son père est mort quand elle n'avait que neuf ans, et bien qu'elle se répète qu'elle est censée vivre le moment le plus extraordinaire de son existence, qu'elle devrait être tout à la joie de son succès, elle est déprimée et s'ennuie. Écoutons-la:

> Tu te rends compte de ce qui peut arriver dans ce pays, qu'elles disent. Une fille vit dans une petite ville perdue pendant dix-neuf ans, si pauvre qu'elle ne peut même pas s'acheter un magazine, et voilà qu'elle décroche une bourse pour aller à l'université et gagne un prix par-ci, un prix par-là et finit par se lancer à l'assaut de New York comme si la ville lui appartenait. Sauf que je n'étais à l'assaut de rien du tout, même pas de moi-même. Je ne faisais que cahoter à droite et à gauche pour aller travailler, puis du boulot pour aller dans un party, puis dans un autre, pour revenir ensuite à mon hôtel, et de nouveau au boulot, comme un trolleybus ivre. J'imagine que j'aurais dû être aussi excitée que les autres filles, mais je n'arrivais même pas à réagir. Je me sentais amorphe et très vide, comme l'œil d'une tornade au beau milieu du chaos généralisé.[4]

Sous la réussite d'Esther, une profonde dépression s'est enracinée. Quels que soient ses actes et ses réalisations, ils ne donnent, au bout du compte, aucun sens à sa vie. Afin de survivre dans cette situation, elle a développé un humour cynique qui lui permet de traiter en objets et de caricaturer les hommes qu'elle rencontre. Ses relations avec ces derniers sont empoisonnées par un détachement de spectatrice et son humour cynique constitue une autodéfense contre ses sentiments. Ses relations avec les hommes ne sont pas personnelles mais de l'ordre de celles que l'on entretient avec un objet — Esther, lorsqu'elle en parle, accompagne toujours son discours d'un petit ricanement. Il arrive, par exemple, qu'elle collectionne les hommes qui portent un nom original. Mais derrière cette attitude froide se cache la peur du rejet. Elle déclare: «Le meilleur moyen de ne jamais être déçue, c'est de ne rien attendre de personne.[5]» Pratiquement, l'expérience d'Esther avec les hommes n'a été faite que d'abandons — la mort de son père d'abord, ensuite la succession de relations impersonnelles qu'elle a vécues. Sa perception primaire des hommes est qu'ils «haïssent les femmes». Et elle ajoute:

J'ai commencé à comprendre pourquoi ces types qui haïssent les femmes pouvaient les humilier à ce point. Ces hommes-là sont comme des dieux: invulnérables et pleins à ras bords de leur pouvoir. Ils arrivent sans crier gare, puis ils disparaissent. On ne peut jamais en attraper un.[6]

Les hommes qui haïssent les femmes sont totalement imprévisibles — comme son père qui l'a abandonnée en mourant. On ne peut s'y fier.

Lorsque Esther retourne dans sa petite ville après son séjour d'un mois à New York, c'est pour y affronter un long été inactif. Elle vient de se voir refuser l'accès à un cours d'écriture. Dans cette inaction, sa dépression et son inertie augmentent. Au début, elle essaie de remplir le vide de son existence en dormant. Mais le sommeil la fuit et elle est condamnée à l'insomnie et aux idées suicidaires. Le seul moyen de mettre fin à son dilemme est de se tuer, mais sa tentative de suicide échoue. Privée de son père et obligée de vivre avec une mère martyre, Esther est submergée par l'inconsistance de sa vie et de ses relations. Son marasme devient de plus en plus pesant, jusqu'à ce qu'elle finisse par étouffer, comme si elle était enfermée dans l'air raréfié d'une cloche. «Pour la personne qui se trouve sous la cloche, vidée, et figée comme le cadavre d'un enfant mort, le monde lui-même n'est qu'un cauchemar[7]», dit-elle.

Esther est envoyée dans une clinique où elle est confiée aux soins d'une thérapeute chaleureuse et compréhensive. Elle trouve finalement, dans cette nouvelle relation avec une femme, ce qu'elle n'a jamais obtenu de sa mère: une tendresse doublée de compréhension. C'est grâce à cela qu'elle va s'accepter et trouver la force et le courage d'affronter à nouveau le monde, sans aucune certitude absolue bien sûr, mais avec des «points d'interrogation», comme elle dit — des points d'interrogation qui, bien qu'ils ne lui procurent aucune possibilité d'avoir le contrôle absolu sur son existence, ni aucun pouvoir, vont donner un sens à sa vie.

Dans ce modèle, nous avons un homme qui, en raison d'une mort prématurée, n'a pu remplir son rôle de père et une mère qui a adopté une position masculine «amazonienne» de devoir, une martyre. La seule influence masculine est donc

venue d'une mère qui a nié tout sentiment. Cette femme
n'avait même pas pleuré la mort de son époux. Et Esther avait
adopté la même attitude, même s'il lui était arrivé un jour de
se mettre à la recherche de la tombe de son père et de hurler
son désespoir dans la pluie glacée. C'est après cette expédition qu'elle avait essayé de se suicider — une solution
terrible; pourtant c'était cette tentative qui l'avait conduite à
la clinique où elle avait finalement trouvé de l'aide. Esther
n'avait jamais été acceptée telle qu'elle était. Son mode de
survie avait été de développer son aspect masculin et de se
créer une identité grâce au succès. Mais ses sentiments féminins négligés, que ce soit à l'égard d'elle-même ou des autres,
l'avaient coupée de son sens de la vie et de sa féminité.

Très souvent, lorsque le père a été absent et que la mère a
joué un rôle masculin, la fille est non seulement privée d'un
modèle masculin authentique, mais également du modèle de
féminité qui doit normalement lui venir de la mère. Esther se
débattait dans cette situation critique. Dans ces cas-là, je me
demande souvent si l'aide initiale ne devrait pas venir d'une
femme qui a intégré les principes masculin et féminin.
Lorsque l'expérience concrète avec le père a fait défaut, il
semble qu'un pont jeté par une femme sage soit le plus accessible.

Ce qui doit absolument être intégré ici est le principe féminin non développé. Quant à l'aspect spirituel du masculin, il a
également été laissé pour compte en raison de la surcompen-
sation pratiquée dans le domaine du travail et dans la
recherche du succès. Pour établir une connexion avec ces
deux éléments, il est nécessaire de revenir d'abord à l'instinct
et à la sensibilité féminine. Cela ne veut pas dire que le travail
et le succès sont sans importance, cela veut dire que
l'épanouissement ne sera véritable que si ceux-ci proviennent
du *centre* de la personne et non d'un compartiment d'elle-
même. En se reconnectant avec le féminin, le travail peut
s'installer dans sa propre sphère. Le mouvement contempo-
rain de libération de la femme a connu un cheminement
semblable à l'aventure d'Esther. Lorsqu'elles constatent que
les hommes n'entendent pas respecter leurs aptitudes, leur
valeur unique et leurs potentialités, beaucoup de femmes
réagissent en s'affirmant et en rejetant les hommes. Mais leur

modèle d'expression personnel sous-jacent est si fréquemment masculin que leurs actes ne sont bien souvent que de simples imitations de ceux du mâle. Le problème crucial est de réaliser à quel point il est important de se reconnecter au féminin, de comprendre ce qui est essentiel dans le fait d'être une femme et de mettre cet élément fondamental en valeur. Il ne s'agit pas là d'un moyen d'éviter la tâche consistant à concrétiser le potentiel féminin, mais plutôt d'une manière de se rattacher aux racines féminines qui contiennent ce potentiel, afin qu'il puisse se révéler dans son unicité.

Les superstars, surmenées et désespérant d'établir une relation valable, ont fréquemment recours à l'analyse. Elles croient souvent que les hommes ont peur d'elles parce qu'elles ont réussi et qu'elles sont très compétentes. Leur acharnement au travail a souvent pour but de compenser la faiblesse d'un père qui s'est montré incapable de se réaliser lui-même. J'ai la forte impression que ces femmes ont souvent été traitées en fils par un père désireux de vivre par procuration ses potentialités non concrétisées.

Une femme ayant adopté ce modèle fit, au cours d'une analyse, un rêve dans lequel elle achetait un manteau d'hiver très chaud à un président de faculté qui l'avait dupée. Ce vêtement était son armure d'amazone. Une psychanalyste lui disait ensuite de se défaire de ce manteau et d'essayer de s'envoler. Elle comprit que la plupart de ses succès n'étaient que des compensations à des relations manquées et se sentit flouée d'avoir à travailler sans arrêt au lieu de jouer librement et d'exister, tout simplement (expérience qui lui avait été interdite lorsqu'elle était enfant). Une autre femme qui avait réussi dans sa profession fit plusieurs rêves dans lesquels elle criait sa rage à des hommes faibles et impuissants qui exerçaient un certain contrôle sur elle, tout comme son père incompétent l'avait fait par ses projections inconscientes. Elle était elle aussi assoiffée de réussite, compensant ainsi l'inefficacité et la tendance à la dépression de son père et les ambitions inconscientes d'une mère qui n'avait pas été capable de mener celles-ci à bien. Quelque temps plus tard, cette femme fit d'autres rêves peuplés d'hommes espiègles et d'enfants. Découvrant finalement son côté léger et enjoué, elle devint capable de l'exprimer à son entourage.

2. LA FILLE OBÉISSANTE

On peut trouver un autre exemple de la réaction d'une amazone dans le film d'Ingmar Bergman, *Face à face*. Jenny, le personnage principal de ce film, est une psychiatre sérieuse, compétente, responsable et équilibrée. Elle a épousé un de ses collègues, homme de talent, dont elle a eu une fille. Sa vie et sa carrière semblent suivre leur cours, sans obstacle et de manière tout à fait prévisible quand, soudain, elle fait une dépression et se retrouve dans un hôpital après une tentative de suicide. Le film est centré sur les hallucinations et les rêves qui ramènent Jenny loin dans son passé et dans un monde que son besoin rationnel de s'adapter avait autrefois nié.

Au début du film, Jenny est confrontée à une de ses patientes qui l'accuse d'être incapable d'aimer et de montrer sa vulnérabilité. D'après cette femme, Jenny a recours à sa *persona* de psychiatre comme moyen de prendre le pouvoir et le contrôle sur ce qui l'entoure. Cette confrontation plante le décor des affrontements qui vont se dérouler dans l'inconscient de Jenny. À cette époque, son mari et sa petite fille étant en voyage, elle habite chez ses grands-parents, où elle est censée faire un séjour de deux mois. Dans cet endroit où elle a grandi, les souvenirs commencent à remonter à la surface et se conjuguent à son surmenage et à sa lassitude. Des rêves s'introduisent dans sa vie bien organisée. L'image qui apparaît constamment dans ceux-ci est celle d'une vieille femme menaçante vêtue de noir ou de gris. Un de ses yeux a été arraché et l'on peut voir son orbite béante. Cette image symbolise le complexe de devoir aveugle purement négatif qui a pris le pas sur la vie de Jenny. Lorsqu'elle était enfant, Jenny aimait se pelotonner contre son père. C'était un homme très doux mais il était alcoolique. Étant donné que sa mère et sa grand-mère critiquaient et méprisaient cet homme, Jenny avait fini par être embarrassée par les baisers et les caresses de ce dernier. Un jour, ses parents avaient trouvé la mort dans un accident d'avion et Jenny s'en était allée vivre avec sa grand-mère qui l'avait élevée dans une discipline de fer — interdiction de pleurer, d'être sentimentale, faible ou paresseuse, ou tout simplement de s'amuser. Seuls le devoir, la discipline et la force de caractère étaient mis en valeur. L'ego de Jenny s'adapta à ces demandes et elle devint tout d'abord la fille parfaite, puis une adulte consciencieuse, responsable et fiable. Elle se conformait à la projection de sa grand-mère, mais sous la surface se dissimulait l'enfant inhibé, paralysé.

Au cours de ses hallucinations, Jenny se trouve face à des personnes qu'elle avait systématiquement refoulées dans son inconscient. Dans la dernière, elle est étendue dans son cercueil vêtue d'une robe rouge, morte et pourtant vivante. Elle essaie d'en sortir. Comme sa robe rouge pend hors de la boîte, un prêtre saisit une des paires de ciseaux de sa grand-mère et coupe soigneusement le morceau qui dépasse afin de pouvoir fermer la bière. Ce qui fait disparaître Jenny et sa robe rouge du champ de vision. Jenny, en signe de protestation, met le feu au cercueil; on aperçoit alors, pendant une fraction de seconde, la robe rouge et quelqu'un qui se débat, puis le cercueil et son contenu prennent feu.

Nous avons là une représentation de la passion et des sentiments que Jenny a enfermés, refoulés dans un cercueil, et qui luttent pour s'échapper et pour vivre. Le prêtre armé des ciseaux de la grand-mère est le symbole des vieilles forces du devoir, du contrôle sur soi-même et de la rectitude qui tentent de couper la jeune femme de ses passions et de ses sentiments, représentés par la robe rouge. Le résultat est une flamme immense, un feu vengeur qui ne peut être jugulé.

C'est après cette hallucination que Jenny émerge finalement de sa dépression et de sa tentative de suicide avec des idées plus claires. Elle se rend compte que son désir de prendre le contrôle sur les circonstances et les êtres l'a étouffée. Elle réalise que son incapacité de se laisser aller l'a empêchée de jouir de la vie, qu'elle n'a même pas été capable de ressentir de la joie auprès de sa fille, qu'elle a été jusqu'à présent incapable d'aimer cette dernière. Comme pour Esther dans l'exemple précédent, l'histoire de Jenny se termine sur des points d'interrogation. La dépression est terminée; une plus grande perspicacité et une vie nouvelle en ont émergé. Mais Jenny est toujours au seuil d'une vie dans laquelle elle doit s'efforcer d'être ouverte à elle-même et aux autres. La fin du film de Bergman me paraît pleine d'espoir cependant, car lorsque Jenny revient chez sa grand-mère, elle se rend compte que cette dernière est vieille et souffrante: «On dirait que grand-maman est devenue plus petite, pas beaucoup plus petite, mais assez pour que ça se voie.[8]» Symboliquement, ceci laisse supposer que l'influence négative de la vieille dame a visiblement diminué. Et soudainement, Jenny ressent une affection authentique pour sa grand-mère. À la fin du film, elle rencontre la vieille femme sarcastique à l'orbite béant. Mais cette fois, elle la traite en amie, avec toute la compréhension et la compassion nécessaires pour transformer une image intérieure négative et sarcastique en image positive.

Le problème majeur des femmes qui sont tombées dans le modèle de la fille obéissante est de comprendre que ce modèle de devoir leur a été imposé par quelqu'un d'autre. Il est essentiel qu'elles se rendent compte que cette image a été projetée sur elles et ne leur appartient pas. L'image de la fille obéissante donne l'illusion de la bonté et de la vertu, mais elle en nie l'aspect caché dans toute sa force et sa créativité. Elle nie une large portion de la personnalité et, au bout du compte, le lien avec le moi. Il ne faut dès lors pas s'étonner que la femme finisse par être épuisée, desséchée et qu'elle ait l'impression que sa vie n'a pas de sens. Elle a tendance à se cacher derrière une *persona* modelée selon une image qui n'est pas vraiment la sienne, une image rattachée, par le biais du devoir, à une structure généralement très autoritaire. On retrouve ce genre de comportement chez beaucoup de religieuses. Celles-ci ont en effet été dressées à devenir des filles soumises à une mère supérieure qui, à son tour, est soumise à un système autoritaire strict. Ce système exige que leur corps soit dissimulé. La tradition voulait que la religieuse porte des vêtements fabriqués de telle sorte qu'ils lui servent d'armure destinée à cacher sa féminité et à la protéger des regards des hommes et des tentations du monde. Ainsi que l'une d'elles me le disait: «Il faut maintenant que j'ôte l'armure de l'amazone.» Enlever l'armure ou se débarrasser de la *persona* demande que l'on soit ouverte et que l'on accepte de montrer ses facettes plus sombres et plus faibles, celles-là mêmes qui ont été supprimées ou voilées par l'obéissance à une autorité dure et rigide. Ceci entraîne l'abandon des contraintes établies par cette obéissance et comprend un certain danger car l'aspect qui a été caché jusque-là est embryonnaire et

primitif. Si cette ouverture sur le monde n'est pas faite consciemment, elle peut arriver par surprise, comme ce fut le cas
pour Jenny avec sa dépression.

La fille obéissante se retrouve souvent au service des
autres au mépris de ses possibilités créatrices ou relation-
nelles. Une de mes patientes avait un père qui l'avait découragée de choisir la même profession que lui. Selon cet
homme, les femmes ne pouvaient être que des assistantes,
jamais des médecins, ou des avocats, ou des professeurs,
etc. Cette fille n'alla donc pas jusqu'au bout de ses études.
Mais elle n'en avait pas moins envie de devenir une «vraie»
professionnelle. Elle avait également un fantasme secret: elle
entrait dans un couvent où on lui demandait d'abandonner
son journal intime et de se couper les cheveux. Ce fantasme,
selon moi, correspondait au sacrifice que son père avait
exigé qu'elle fasse sous peine d'être privée de son amour: le
sacrifice de son énergie créatrice. Puis elle avait fait un rêve
dans lequel elle était l'épouse d'un roi et attendait un enfant
alors qu'elle était encore vierge. Mais le roi (le symbole de
son père) ne voulait pas qu'elle mette cet enfant au monde
parce qu'il allait souiller leur descendance. Alors il la mettait
en prison. Elle s'en échappait après avoir tué une religieuse
et revêtait ensuite les vêtements de cette dernière afin de ne
pas être reconnue. Symboliquement parlant, cette femme
dissimulait ses potentialités créatrices derrière une robe de
religieuse. Lorsqu'elle était étudiante, elle s'efforçait de
plaire à ses professeurs, continuant ainsi à jouer le rôle de la
fille obéissante. Pourtant elle savait qu'elle devrait les quitter
un jour pour vivre sa vie. Elle était par conséquent écrasée
sous le poids d'un fardeau de culpabilité — culpabilité
envers ses professeurs qu'elle allait devoir quitter, comme
elle allait devoir oublier les projections que son père faisait
sur elle. Elle se sentait également coupable envers elle-même
de ne pas partir plus vite. C'est pourquoi la seule échappa-
toire consistait à se réfugier dans la réclusion, c'est-à-dire
dans les vêtements de la religieuse. Après de nombreux
efforts pour y voir clair, elle commença à faire des rêves de
succès. Dans l'un d'eux, une femme enceinte gagnait une
course hippique. Ce rêve était une image symbolisant son
potentiel créateur.

3. LA MARTYRE

La pétrification dans le modèle de la martyre constitue une autre forme du comportement de l'amazone et le style de vie qui en découle est circonscrit dans des limites et un ressentiment passif portant souvent le masque d'une vieille souffrance. *Juliette des esprits*, de Fellini, raconte la lutte de Juliette, qu'on appelle «petit visage triste». Elle a fait un mariage de convention tout à fait dépourvu de vie; son mari est fatigué, distant sur le plan émotionnel et infidèle. Mais Juliette s'efforce d'ignorer ces réalités et d'avoir l'air heureuse. La première minute de vérité concernant son existence survient lors d'une séance de spiritisme. «Personne n'a besoin de toi; tu ne comptes pour personne», lui dit un des esprits. Elle tente d'oublier ce message, mais ses souvenirs d'enfance commencent à remonter à la surface. Elle revit les merveilleuses rêveries qu'elle avait lorsqu'elle était petite, mais également le souvenir de son père et de sa mère — mère indifférente et d'une froide élégance et père fasciste. Ceux-ci l'avaient mise en pension à Rome, dans une école catholique, où elle avait un jour joué le rôle d'une martyre dans une pièce de théâtre. Tandis que resurgit dans sa mémoire l'image de la martyre prête à brûler sur le bûcher, Juliette se souvient des protestations de son grand-père, homme original et plein de vie qui s'était enfui avec une écuyère de cirque. Une fois mariée, Juliette avait également joué le rôle d'une sainte martyre, observant le silence, n'affrontant jamais son mari, cachant sa colère et ses joies, ainsi que sa sexualité.

La crise survient lorsque Juliette découvre que son mari a une liaison avec une autre femme. Des rêves, des visions et des fantasmes se succèdent sans désemparer dans sa tête. Une des figures principales de ces rêves et de ces visions est une femme nue et aguichante, ressemblant à s'y méprendre à l'écuyère que son grand-père aimait. C'est à ce moment-là qu'elle rencontre une voisine, Suzy, jeune femme libre et sensuelle qui a adopté un style de vie dionysiaque. Suzy entraîne Juliette dans un monde de plaisir et de jeu. Cette dernière accepte un jour d'aller à l'une des soirées de Suzy et de pénétrer ainsi dans ce monde sensuel, mais l'image de la martyre resurgit et elle ne peut rester. L'adaptation consciente de Juliette continue néanmoins à se désintégrer, et d'autres images sorties de son inconscient envahissent sa vie — chevaux maigres et épuisés; une martyre qui se transforme en putain; envahisseurs turcs affamés. À la même époque, Juliette se rend chez un thérapeute travaillant à l'aide de psychodrames, qui lui explique qu'elle s'identifie beaucoup trop à ses problèmes (un syndrome du martyre typique) et qu'elle doit retrouver sa spontanéité et apprendre à se détendre. Tandis que Juliette réalise qu'elle a peur d'être heureuse et que son mariage est une prison, ses sentiments agressifs, sa jalousie et sa rancune commencent à émerger. Elle pleure et pense au suicide. Mais ces sentiments négatifs sont accompagnés de plusieurs possibilités d'échapper à son marasme. Avec la colère vient l'affirmation de soi. Dans une de ses rêveries éveillées, Juliette déclare à sa mère froide et distante qui a jusqu'alors occupé une place énorme dans sa vie qu'elle ne lui fait plus peur. Durant cette confrontation, une porte s'ouvre et Juliette libère l'enfant martyre, tandis que la mère qui l'a repoussée et toutes les images horribles disparaissent et que son grand-père survient pour accueillir l'enfant. S'étant libérée de l'esclavage du martyre et ayant permis à l'enfant qui était en elle de vivre, Juliette peut quitter la prison qu'était devenu son foyer, respirer l'air de l'extérieur et s'ouvrir au futur.

Comme bien des femmes emprisonnées dans le schéma de la martyre, Juliette était une épouse possessive vivant dans l'ombre de son mari. Ayant adopté le rôle de martyre, elle s'était laissé piéger dans le cadre des valeurs collectives qui inhibaient son individualité et sa beauté féminine unique. Fellini, dans un texte où il parle de son film, déclare que son intention était «de restituer à la femme sa véritable indépendance, sa dignité indéniable et inaliénable» et ajoute: «Je crois qu'un homme libre ne peut pas vivre sans une femme libre. L'épouse ne doit pas être une madone, ni un instrument de plaisir, et encore moins une servante.[9]»

Un des traits caractéristiques du style de vie de la martyre est de devenir la servante laborieuse, mère ou épouse, ou les deux. Le modèle de la mère martyre émerge souvent lorsque la fille a continuellement entendu sa mère critiquer son mari de façon méprisante, fustigeant sa faiblesse et sa négligence.

Lorsque le père n'a pas réussi à se défendre, la fille adopte souvent l'attitude de sa mère, consciemment ou inconsciemment. Jung donne plusieurs exemples de ce comportement dans ses expérimentations sur les associations d'idées, par exemple dans le cas de cette fille de seize ans qui avait les mêmes réactions que sa mère envers les hommes, bien que n'ayant pas vécu les mêmes expériences[10]. Lorsque ce genre de fille se marie, elle choisit souvent un homme faible et passif et transmet son attitude méprisante à sa propre fille, perpétuant ainsi le modèle. Ce type de femme joue le rôle de mère dans sa relation avec son époux, qui est alors réduit au statut de fils. Alexander Lowen a décrit ce modèle dans son ouvrage *Amour et orgasme*, où il explique que le sacrifice de soi, trait dominant de la personnalité de ce genre de femmes, débouche sur le martyre. Il précise que le rôle de martyre possède un aspect masochiste de soumission passive qui dissimule un sentiment de supériorité, d'hostilité et de mépris vis-à-vis du mâle. La mère martyre domine son époux par le chantage et le rabaisse à la position inférieure de fils, en le couvant et en le gavant de nourriture (la mère poule) et/ou en menant ses enfants à la baguette. Dans ce dernier cas en particulier, le père ne prend aucune des décisions importantes concernant la vie familiale, même s'il gagne beaucoup d'argent. Selon Lowen, le statut de martyre est souvent associé à un rapport asexué avec l'époux, ce qui a pour effet d'émasculer ce dernier[11].

On trouve souvent chez la martyre une abnégation rigide qui apparaît dans les domaines de la sexualité et de la créativité. Selon moi, ce sacrifice procède directement d'une peur du dionysiaque, du laisser-aller, de l'irrationnel et, par corollaire, de certaines expériences échappant au contrôle de l'ego, comme par exemple celles de l'amour, de l'espoir et de la beauté. Cette peur coupe les femmes qui ont adopté ce mode de vie de la joie d'exister et d'une certaine exubérance, ainsi que de leur créativité et de leurs aspirations. Les liaisons extraconjugales et les aventures passagères dans lesquelles se jettent soudainement beaucoup de femmes dans la trentaine sont peut-être une tentative inconsciente de briser avec le martyre qu'elles se sont imposé. Mais étant donné que cette tentative demeure généralement inconsciente, sauf peut-être lorsqu'elle est concrétisée dans le mode obscur de la marginale, la transformation ne s'accomplit pas. Ces femmes auraient besoin de se plonger consciemment dans le flot des expériences incluant à la fois leur sexualité et leurs pulsions créatrices, qu'elles identifieraient, d'abord, puis accepteraient et modèleraient. Dans le cas de Juliette, ce sont la colère et la fureur qui ont apporté la libération. Il faut que la martyre éprouve de la colère envers le sacrifice qu'elle fait d'elle-même et qu'elle découvre que l'aspect caché de ce sacrifice vertueux et rigide est l'enfant abandonnée, l'inadaptée qui se sent comme une victime rejetée et veut qu'on la prenne en pitié. Le rôle de martyre est vraiment une sorte de réaction de défense contre le flot des expériences; la femme qui l'a adopté veut être reconnue et prise en pitié pour son abnégation; elle joue avec les sentiments de culpabilité de ceux qui l'entourent.

Beaucoup de femmes martyres se retrouvent en analyse. Je crois qu'il existe un martyre consécutif à la soumission des femmes à la culture patriarcale. Bien que ce martyre inhérent à la culture ait certains aspects du modèle de la *puella* passive, on y trouve surtout un élément puissant et implacable qui castre la femme aussi bien que ceux qui font partie de sa vie. Je puis donner un exemple typique de ce que j'avance. Les enfants adolescents d'une femme mariée se droguaient et avaient des ennuis avec la police. Cette femme était née dans une riche famille aristocratique et son père, patriarche dominateur, avait la main haute sur les finances familiales. Dans de tels cas, le père, souvent absent sur le plan émotionnel, ne fournit aucun modèle d'indépendance à sa fille. Le mari de cette femme était comme son père, ne représentant aucune force émotionnelle dans le cadre familial et contrôlant les finances. D'une part, cette femme extrêmement intelligente luttait pour se développer malgré l'opposition de son époux dominateur et, d'autre part, se sentait écrasée sous les responsabilités. Elle réagissait souvent de façon hystérique, le menaçant de se suicider car elle se sentait incapable d'affronter une telle existence. Cette agressivité, ouvertement dirigée contre elle-même, l'était, indirectement, contre son mari et ses enfants. Son mari apparemment fort et menaçant se sentait faible et menacé. Ses enfants semblaient incarner tous les conflits familiaux: l'un d'eux fut arrêté, l'autre devint un bon élève et le troisième quitta la maison. Il fallait que cette femme puisse s'affirmer et rompre avec un mariage dont elle se sentait la victime. Dès qu'elle utilisa son pouvoir de manière active et pour elle-même plutôt que de s'en servir pour se défendre d'elle-même et des autres, elle devint capable d'utiliser son énergie créatrice.

4. LA REINE GUERRIÈRE

Un autre mode de réaction de la fille contre un père faible et irresponsable est de devenir une lutteuse forte et déterminée. Dans un tel cas, la fille s'oppose à l'irrationalité d'un père qu'elle considère comme dégénéré et prend les armes contre lui. C. S. Lewis décrit ce type de femme dans son roman *L'allégorie de l'amour,* qui est sa version du mythe de Psyché et d'Éros, conté cette fois par une des sœurs de Psyché. Le père de cette dernière est un roi brutal et destructeur qui la sacrifie à la déesse Aphrodite afin d'apaiser ses sujets qui prétendent que Psyché est responsable de la famine et de la peste qui sévissent dans le pays. Ce sacrifice est un reflet de l'esprit matérialiste de cet homme. Ses principales occupations consistent à donner des fêtes, à chasser, à gagner de l'argent et à convoiter de nouvelles acquisitions. Il ne consacre jamais de temps à ses filles, qui en fait le dégoûtent car elles ne sont pas des garçons. Lorsqu'il lui arrive d'avoir affaire à elles, c'est pour se livrer à de terribles colères, au cours desquelles il traite la première de putain (celle qui a adopté le modèle de la *puella*) et la seconde de laideron. Le «laideron», Orual, est l'aînée. À la naissance de Psyché, Orual a pris le bébé en charge. Étant donné que leur mère était morte, elle a adopté ce rôle et considéré Psyché comme son enfant, l'aimant d'un amour maternel farouche. Lorsque le père sacrifie la jeune fille, Orual perd sa possession la plus chère, sa bien-aimée Psyché.

   Orual hait son père et tout ce qu'il représente. Elle déteste le monde irrationnel et dégénéré dans lequel il l'a obligée à vivre. Et elle transfère cette haine sur les dieux, en lesquels elle cesse de croire les uns après les autres et qu'elle hait parce qu'ils lui ont ravi sa sœur adorée. Dans son esprit, les dieux et son père sont faits de la même étoffe. Voici ce qu'elle pense:

> D'une certaine manière, ce don divin est admirable. Ce n'était pas assez pour les dieux de la tuer [Psyché], il fallait en plus qu'ils fassent de son propre père son meurtrier... Remarquez bien la cruauté des dieux. Impossible de leur échapper dans le sommeil ou dans la folie, car ils peuvent vous poursuivre jusque dans vos rêves. C'est alors que vous êtes le plus à leur merci. La meilleure chose que nous puissions faire pour nous défendre contre eux (mais ce n'est pas vraiment une défense) est de rester éveillés et de travailler dur, sans écouter de musique, sans regarder ni le ciel ni la terre, et (d'abord et avant tout) sans aimer.[12]

On peut voir clairement chez Orual la formation d'une conscience rigide et négative, un rejet des sentiments et de la vie en réaction au comportement destructeur d'un père négatif. Sur le plan collectif, ce roi symbolise une relation irresponsable au féminin, autrement dit une appréhension culturelle inadéquate du féminin. Orual réagit à cette situation en luttant contre son père. Elle apprend même à manier l'épée mieux qu'un homme, et lorsque l'auteur de ses jours meurt, elle s'empare du trône. Mais son amertume demeure, car elle réalise que sa vie n'est qu'une vie de labeur. Elle devient une reine triste et solitaire qui a choisi de vivre comme un homme.

Consumée par son amertume et par sa haine envers les dieux, Orual décide d'écrire un testament dans lequel elle les met en accusation. Ce faisant, elle devient possédée par la même fureur que son père et est soudainement assaillie par des rêves et des hallucinations. Dans l'un de ces rêves, son père l'oblige à descendre dans les caves du château et à s'enfoncer davantage dans les profondeurs d'un trou noir où il la force à se regarder dans un miroir afin qu'elle voie clairement qui elle est. Orual constate qu'elle ressemble à son père. C'est alors qu'elle réalise qu'en se révoltant contre celui-ci et en tentant de devenir son opposé, elle a fini par adopter le même comportement irrationnel. Son désir de devenir forte et

rationnelle recouvrait en fait une rage et une jalousie irration-
nelles semblables à celles de son père. Dans cet éclair de
conscience, elle comprend que sa tâche n'est pas de
combattre l'irrationnel, mais de transformer la spiritualité
dégénérée (symbolisée par les rapports de son père à
l'existence) en sacré. Se rendant compte que son défi crié aux
dieux était une tentative de son ego de prendre le contrôle et
de posséder (exactement comme son père le faisait), elle se
rend à eux car ils possèdent un pouvoir plus grand que le
sien. Elle devient ainsi capable d'aimer.

À un certain moment, Orual s'était dit que son but était de
«construire sans relâche cette force dure et sans joie qui
m'est venue lorsque j'ai entendu la sentence de la déesse et,
en étudiant, en luttant et en travaillant, chasser la femme qui
est en moi.[13]» Dans ce modèle de lutteuse, le père et souvent
les autres hommes sont rejetés et méprisés à cause de leur
faiblesse, et la fille a l'impression qu'elle est seule à être assez
forte pour faire ce qui doit être fait. Mais ce qu'il y a d'ironique dans le comportement de ce type de femmes, c'est que
la manière avec laquelle elles utilisent la force est calquée sur
le modèle masculin et qu'elles dévaluent ainsi le féminin. On
entend souvent ces femmes grincer des dents; leur comportement reflète le «marche ou crève» d'une détermination arrêtée. Pour la femme qui vit selon ce type d'existence, la vie
devient une corvée et une série de batailles à gagner plutôt
que des moments à savourer. Inflexible et maussade, elle se
déplace dans la vie en clamant ses griefs, sans tenir compte
des sentiments et du corps de femme qui sont enfouis dans
son champ de bataille. Au lieu de lutter pour la force authentique de la réceptivité féminine, elle voit celle-ci comme de la
passivité et de la faiblesse. Peut-être est-ce là le modèle que
beaucoup de militantes féministes adoptent lorsqu'elles affir-
ment qu'il n'y a aucune différence entre hommes et femmes et
qu'elles mettent la réceptivité au rang de la passivité.

J'ai reconnu un exemple de ce modèle quand j'ai fait la
connaissance de Bobbie, qui vint en analyse parce qu'elle se
sentait piégée dans un rôle de lutteuse; elle avait l'impression
de vivre comme un homme. Elle voulait s'ouvrir, devenir
réceptive et être capable d'engager une relation, mais elle se
sentait inhibée, fermée. Son père, qui était un homme chaleu-

reux, avait donné des noms de garçon à toutes ses filles. Il avait des ambitions professionnelles pour chacune d'elles et Bobbie avait été élevée comme un garçon plutôt que comme une fille. Elle était devenue arriviste et compétitive — une bagarreuse — et elle sentait bien que c'était à cause de cela que son mariage avait été brisé et qu'elle pourrait difficilement s'engager dans une autre relation. Elle était très dure avec elle-même, se critiquant de manière implacable.

Au cours de l'analyse, elle commença à méditer, à pratiquer le tai-chi et à étudier une discipline artistique. Ces activités lui permirent de s'ouvrir et, petit à petit, elle devint plus réceptive et plus spontanée avec son entourage. Elle eut ensuite une série de rêves peuplés de figures féminines positives. L'une d'elle était une vieille femme très sage qui avait écrit un livre sur le féminin; une autre, une jeune fille qui courait librement dans un pâturage. Ensuite elle rêva qu'elle était couchée et qu'une femme lui caressait le clitoris. Un homme était étendu, immobile, auprès d'elle. La femme ne l'excitait pas et elle s'inquiétait à l'idée que l'homme allait se sentir offusqué lorsqu'il respirerait l'odeur de ses sécrétions vaginales. Elle fit part de cette appréhension à la femme, qui répliqua que cet homme aimerait le parfum de sa féminité.

Ce rêve se présenta à l'époque où elle découvrait son côté plus doux et sa spontanéité. Mais il y avait encore en elle des tendances à se juger à cause du rôle inversé dans lequel elle avait l'impression qu'elle ne plairait aux hommes qu'en devenant passive, autrement dit en se transformant en «petite poupée chérie». Elle sentait bien que le rêve révélait trois aspects d'elle-même. L'homme immobile symbolisait son ancien côté masculin qui avait rejeté l'aspect doux du féminin, aspect masculin qui correspondait à la projection de son père et reflétait les vues de la culture patriarcale. Elle associait l'autre femme à une jeune lesbienne — non pas une de ces militantes qui détestent les hommes, mais plutôt une femme luttant pour les droits de ses consœurs dans une option centrée sur le féminin. Elle se voyait elle-même dans le rêve comme une «petite poupée chérie» (son aspect caché) qui voulait plaire aux hommes et s'adapter aux valeurs masculines. Elle réagit au rêve en voulant se lier à l'autre femme, symbole de son moi féminin, mais son vieux modèle masculin

macho et son côté opposé, la «petite poupée chérie», lui firent
encore obstacle. Et pourtant la figure la plus forte était la
femme active; c'était ainsi qu'elle commençait à se sentir.
Nous avons là un exemple de femme qui commence à rassem-
bler ses forces de reine guerrière, mais sans se revêtir pour
autant d'une armure. Elle intègre plutôt ces forces dans son
côté plus doux afin qu'elles puissent être présentes d'une
manière féminine forte grâce à laquelle elle pourra s'exprimer.

LE DÉSESPOIR DE L'AMAZONE

Quels sont les traits les plus communs de l'amazone? Le plus
important est son désir de prendre le contrôle. Étant donné
qu'elle a tendance à considérer l'homme comme faible et
impuissant, ou qu'elle réagit contre son utilisation irrationnelle du pouvoir, elle s'empare elle-même de ce pouvoir.
Avoir le contrôle lui donne l'impression d'être en sécurité, à
l'abri de tout danger. Mais avec ce contrôle peuvent se
produire une overdose de responsabilités, de devoirs et un
sentiment d'épuisement. Le besoin de prendre le contrôle est
souvent consécutif à une peur de l'irrationnel, qui doit être
éliminée autant que possible de l'existence. Mais lorsque ceci
arrive, on se coupe de la spontanéité et de l'imprévu qui
mettent du zeste et du charme dans la vie. De telles femmes
sont fréquemment coupées de leurs sentiments et de leurs
relations, étant donné que le besoin de prendre le contrôle ne
permet ni les uns ni les autres. Ne s'éloigne-t-on pas des
racines les plus profondes de la créativité et de la spiritualité
chaque fois que cette attitude de contrôle domine? Il n'est pas
étonnant dès lors que les amazones aient souvent l'impression que leur existence est stérile et dépourvue de sens. Pas
étonnant non plus que les forces spontanées qui ont été répri-
mées, voire supprimées, s'imposent d'elles-mêmes et renver-
sent les structures psychiques existantes, comme elles le font
fréquemment dans les cas de dépression, d'anxiété et d'impuissance, lorsqu'elles ont l'impression qu'elles ne peuvent
plus faire face.
    L'attitude dominante de l'amazone consiste à mettre
l'accent de manière exagérée sur les limites et la nécessité.

Kierkegaard a décrit cette attitude comme une forme de désespoir qu'il appelle le «désespoir de la nécessité». Ce type de désespoir est en fait une aliénation de l'être entier et survient lorsque l'on s'identifie tellement au «fini» et à la nécessité que l'on nie toute possibilité, y compris la possibilité essentielle du moi. Où tout cela mène-t-il? Selon Kierkegaard, quand on se considère comme fini on devient:

> ... un numéro, un homme de plus, une répétition nouvelle de cette sempiternelle uniformité. Le désespoir où l'on est ainsi borné consiste à manquer de primitivité ou à s'en être dépouillé, à s'être spirituellement châtré.[14]

Kierkegaard prétend que la tendance ici est de devenir matérialiste, c'est-à-dire si avisé et si bien informé de tout ce qui se passe que l'on est capable de s'adapter à tout sans difficultés. Bien que ces facultés conduisent au succès du fait que l'on apprend à s'adapter aux exigences de la vie quotidienne et professionnelle, elles n'en font pas moins de ceux qui les utilisent des imitations pures et simples des autres. Le danger est que le moi constitue alors un pouvoir plus grand, que l'on a peur d'une spontanéité qui ne peut être contrôlée car elle pourrait compromettre une position bien établie dans laquelle on se sent en sécurité. Comme c'était le cas pour le roi Midas qui, afin de se protéger de tout, transformait chaque chose en or, y compris sa nourriture, et mourait par conséquent de faim, cette attitude prive la vie de sa substance vitale. Ainsi que le dit Kierkegaard, l'homme qui est écrasé par le désespoir remonte l'existence à contre-courant. En fin de compte, cette attitude pourrait se définir ainsi: «le désespoir de vouloir désespérément être soi-même[15]». Car au fond de soi-même on refuse dans un geste de défi la possibilité, on refuse tout ce que l'ego ne peut pas contrôler. Si l'on envisage les choses à l'extrême, cette attitude est démoniaque car elle est faite du refus de toute aide venant d'un pouvoir plus grand; on considère que tout pouvoir et toute force n'existent que dans l'individu.

La position de force de l'amazone est franchement désespérée et inhumaine. C'est la raison pour laquelle un effondrement survient souvent — exactement comme cela s'est produit pour chacune des femmes dans les films et dans les romans dont nous avons parlé. Dans tous les cas, il y a eu effondrement de l'attitude de force de l'ego débouchant sur la faiblesse et l'impuissance devant l'irrationnel. Jenny, Juliette et Orual étaient victimes d'hallucinations; Esther et Jenny avaient des envies de suicide. Le défi crucial pour chacune d'elles, comme il le fut pour moi-même et pour la plupart de mes patientes, a été d'accepter la faiblesse, la dépression et l'incapacité de travailler et de vivre le quotidien. Cela entraîne souvent une confrontation avec la colère et les larmes. Beaucoup de femmes se retrouvent assises devant moi dans mon bureau, tremblantes d'angoisse et de chagrin. Il arrive fréquemment qu'elles aient honte de leur manque de contrôle sur elles-mêmes. Elles «ne devraient pas» pleurer ni se mettre en colère, proclament-elles souvent, parce que ce sont là des signes d'infériorité. Elles ont également l'impression qu'elles se dirigent à grands pas vers une dépression nerveuse. Et pourtant, si elles pouvaient accepter la validité de leurs sentiments, cette acceptation les remplirait d'une humilité nouvelle qui leur permettrait de s'ouvrir à la vie dans toute sa diversité.

VERS LA TRANSFORMATION

Le démantèlement total d'une armure d'amazone ne survient que dans une situation extrême. En analyse, nous préférons qu'une transformation consciente se produise avant l'effondrement. Comment cette transformation se fait-elle? Comment une femme enfermée dans une armure peut-elle s'en échapper?

Il faut tout d'abord qu'elle identifie le genre d'armure dans laquelle elle est prisonnière. Sans cette identification, elle perpétuera le modèle qui la pousse à se défendre contre ce qui se trouve à l'intérieur de l'armure. Il faut qu'elle accepte sa faiblesse secrète. Contrairement à la *puella*, dont l'attitude consciente est la faiblesse, l'adaptation de l'ego de l'amazone se traduit par la force et le pouvoir. Mais sous cette carapace de force de l'amazone on devine souvent l'impuissance, la dépendance et des besoins impérieux qui peuvent dévorer ceux qui l'entourent. La martyre porte le masque de la travailleuse accablée; elle sombre dans l'apitoiement sur elle-même et réclame la pitié des autres. La force de la superstar est dans ses réalisations, mais lorsque ces réalisations perdent leur sens, comme cela arrive souvent lorsqu'elles ne sont que des inventions de son ego pour attirer l'attention, elle est susceptible de tomber dans l'incapacité de faire quoi que ce soit. L'obéissance constante de la fille soumise, que ce soit dans le domaine du travail ou dans sa vie privée, peut dissimuler une révolte intérieure et le désir de s'évader qui peuvent mettre en pièces son monde bien ordonné, la laissant, elle mais aussi entourage, dans la confusion et le chaos. Quant à la dureté glaciale de la reine guerrière, elle peut fondre soudainement à la faveur d'un attachement inattendu qui pourrait la détruire ainsi que son partenaire car cet attachement est trop possessif et dépendant.

Accepter sa faiblesse secrète ne veut pas dire se retourner comme une crêpe pour adopter de façon permanente la position de la *puella*, bien que cela puisse constituer une étape nécessaire dans le développement de l'amazone. Cette dernière ayant déjà prouvé son pouvoir et sa force dans diverses circonstances de la vie, cette étape peut se révéler très utile. Le problème consiste plutôt à permettre à cette force et à ce pouvoir de jaillir tout naturellement du *centre* de la personnalité plutôt que de les faire sortir de force au cours de l'adaptation de l'ego. Ce qui est souhaitable, c'est d'amener cette force dans le domaine où l'on connaît la peur. Ce n'est pas faire preuve de faiblesse que de tomber dans l'irrationnel ou de l'utiliser comme source de connaissance. La faiblesse consiste au contraire à se montrer incapable de faire face à cet aspect de la vie. Aussitôt que l'amazone a appris à accorder de l'importance à sa vulnérabilité et aux aspects incontrôlables de l'existence, elle puise dans cette attitude une force nouvelle. Le processus de création offre un grand nombre d'exemples de la nécessité de se plonger dans l'inconscient et d'y rencontrer sa faiblesse, voire la dépression, l'ennui ou l'anxiété, afin d'être en mesure de donner naissance au «nouvel être» et à l'attitude créatrice qui peut transformer l'existence. Le chemin qui y conduit ne passe pas par le «faire» — qui est le mode d'action habituel de

l'amazone; selon moi, le secret de la réussite repose dans le
«laisser faire».

Tandis que je révisais ce chapitre, j'étais moi-même
prisonnière d'une double armure, celle de la superstar et celle
de la martyre. Mes énergies créatrices étaient bloquées.
J'avais un délai à respecter et j'étais complètement épuisée; je
ne pouvais plus écrire un mot. Le fardeau me paraissait insup-
portable et, comme il ne concernait pas seulement la révision
de mon texte, j'avais fini par me dire que je serais tout aussi
incapable de respecter mes autres obligations. En désespoir
de cause, je décidai de laisser tomber la réécriture et d'aller
me promener. Puis je rendis visite à des amis qui me suggérè-
rent de questionner le *Yi King* à propos de mon armure. Je
m'exécutai et reçus l'hexagrame «Opposition» en réponse.
L'image de ma situation était deux filles qui... «bien qu'elles
vivent dans la même maison, appartiennent à deux hommes
différents; en conséquence leurs dispositions sont non seulement différentes, mais divergentes[16]». Les deux filles, selon
mon interprétation, étaient mes deux aspects — celui de
l'amazone et celui de la *puella* — bloqués dans une opposition
rigide. La *puella* voulait jouer et l'amazone avait besoin de
travailler. Étant coincée entre les deux, je me sentais piégée et
paralysée. Le conseil que je reçus fut le suivant: «Si tu perds
ton cheval, ne cours pas après lui; il reviendra de lui-même.[17]»
Le *Yi King* me disait de ne pas forcer les choses; si je le faisais,
je ne ferais que réaliser le contraire de ce que je voulais.
Lorsqu'on court après un cheval, il galope encore plus vite. Il
vaut mieux le laisser revenir tout seul. Il en était de même
pour l'énergie créatrice que je mettais dans mon écriture. Il
me fallait attendre jusqu'à ce qu'elle revienne. Cette image
offerte par le *Yi King* me permit d'attendre sans me laisser
dévorer par mon inquiétude.

Un autre aspect de la transformation de l'amazone consiste à se libérer de cette conviction qu'il est nécessaire
qu'elle devienne pareille à un homme pour prendre le
pouvoir. Beaucoup d'amazones sont conditionnées par leur
réaction à un père inadéquat, que ce soit sur le plan intime ou
culturel, ou les deux. Il est donc normal qu'une identification
de l'ego au masculin vienne compenser ce qui n'a pu se développer en elle à cause de l'attitude du père. Elle a tendance à

adopter un mode d'existence héroïque, mais l'identification au masculin héroïque a besoin d'être reconnue et libérée. Si l'amazone veut éviter de «craquer», elle doit faire en sorte de se dégager en douceur de son armure; cette attitude pourra l'aider à établir une relation créatrice avec son côté féminin et avec celui des hommes. Ceci est, par ailleurs, un des problèmes majeurs de notre époque, où l'amazone a dû lutter pour défendre ses droits la plupart du temps en s'attaquant, par le biais d'une attitude agressive, aux hommes et à leur pouvoir. Elle a dû prendre une épée et se battre comme un homme. Mais alors, comme Orual, elle s'est retrouvée seule avec son épée, son bouclier et son masque protecteur.

Sa première identification s'étant faite avec le masculin, elle pourrait se dégager en douceur de son armure grâce à une figure masculine aimante. Une telle image, «L'homme de cœur», apparut dans l'un de mes rêves. Dans celui-ci, un jeune homme avait emménagé, à mon insu, dans ma nouvelle maison et en avait décoré une chambre. Ce jeune homme aimait la nature, les excursions et les voyages; il avait ramené de Pologne et du Mexique de merveilleux tapis multicolores. Les motifs de ces tapis étaient constitués d'oiseaux et de fleurs, et leur couleur de fond était un rose pastel. La chambre était meublée de chaises et de divans douillets; la lumière y était très douce, le sol était recouvert des tapis dont j'ai parlé. Le jeune homme, en pyjama, était assis sur l'un des divans, lisant un livre en écoutant de la musique. Je me sentais profondément amoureuse de lui. Lorsque je me réveillai au milieu de la nuit, je me mis à chercher la chambre et le jeune homme dans toute ma maison. Hélas, je ne pus les trouver. J'en eus d'abord le cœur brisé, mais je compris ensuite que ce personnage n'était qu'une image destinée à m'aider à trouver à l'intérieur de moi-même cet homme qui aimait les femmes d'un amour vrai et pouvait créer autour de lui une atmosphère chaude, douillette et confortable.

Casanova, cet amant célèbre, est un bon exemple de cette image masculine capable de faire une brèche dans l'armure de l'amazone. Dans une conférence sur Jung donnée à Zurich en 1975, Hilde Binswanger comparait deux amants célèbres, don Juan et Casanova, et expliquait qu'ils devaient être considérés comme deux images différentes du masculin intérieur.

Elle associait don Juan, cet homme qui séduisait les femmes pour les abandonner ensuite, les laissant amères et négatives envers les hommes et envers elles-mêmes, à l'homme intérieur négatif. Quant à Casanova, qui a aimé beaucoup de femmes et a fait en sorte que celles-ci se sentent féminines et appréciées, il était pour elle une image de l'homme intérieur positif, celui qui permet à la femme de se sentir bien dans sa peau. Quand je repense à ces images, il me semble que l'amazone lutte contre l'image du don Juan, une image qui pour moi est similaire à celle du «vieil homme pervers», cette figure intérieure masculine qui hait les femmes et qui mine leur confiance et l'estime qu'elles ont pour elles-mêmes. Mais, dans cette lutte, elle s'endurcit. À l'inverse, la tendresse de Casanova est liée au féminin. Grâce à lui, les femmes peuvent aller chercher, au centre même de leur féminité, leurs forces créatrices et une plus grande réceptivité.

Il se pourrait que cet aspect masculin plus doux et plus tendre apparaisse d'abord comme un *«Dummling»**, un fou faible et bon à rien. Dans les contes de fée et le jeu de tarot, le dummling, ou la figure du fou, trébuche constamment sans savoir où aller et, en perdant pied, tombe souvent dans le nouveau et l'inconnu. C'est précisément le nouveau et l'inconnu qui ont tendance à manquer dans la vie de l'amazone, parce que c'est contre ceux-ci que son armure la protège. Cette figure du fou est étroitement rattachée au féminin et aux instincts. Sur une des cartes du tarot, il tient une rose à la main. Un chien est à ses côtés. Dans les contes de fées, il est souvent assis, pleurant. Il nourrit parfois des animaux qui l'aident ensuite à sauver une princesse emprisonnée dans une montagne de verre ou dans une tour. Étant donné que j'ai étudié ce thème dans un autre chapitre, je ne donnerai ici qu'une simple proposition: l'image du fou peut être efficace sur deux plans, celui de l'acceptation et de la mise en valeur de la faiblesse secrète et celui de la relation créatrice au féminin.

---

* «Le *Dummling*, ou Fou, est l'aventure continuellement renouvelée de tout humain qui naît sur cette terre, cherche sa route, croit la trouver, effectue des bribes de son évolution, s'illusionne sur son cheminement, tombe et revient sur sa route [...] Le Fou s'avance croyant avoir raison, s'entêtant dans ses convictions malgré les obstacles rencontrés.» Ghislain Tremblay, *Initiation au tarot humaniste*, Éditions de Mortagne, Montréal, 1984. *(N.D.T.)*

Contrairement à la *puella*, dont la tâche, dans son processus de transformation, est d'accepter sa force et de la développer, la transformation de l'amazone demande un plus grand abandon. Sa réceptivité doit être libérée afin de s'unir à sa force déjà développée. Ces deux éléments ainsi rassemblés formeront une expression créative de son esprit féminin.

CHAPITRE CINQ

L'HOMME INTÉRIEUR

*Connaître un peuple c'est connaître d'abord
les relations qui existent entre les hommes et
les femmes qui le constituent.*

Pearl S. Buck.

Le père constitue, pour la femme, la première expérience du masculin. Il procure à sa fille un modèle important qui va permettre à cette dernière de se situer par rapport aux hommes et à son propre aspect masculin intérieur. J'ai constaté la présence de quelques images récurrentes dans les rêves de femmes souffrant d'une relation détériorée avec le père. La figure que je nomme «le vieil homme pervers» apparaît souvent dans les rêves et le vécu de la femme qui a tendance à adopter le modèle de la *puella* dans le *pattern* de l'éternelle adolescente, tandis que «le garçon en colère» fait fréquemment son apparition dans celui de l'amazone.

Étant donné que la *puella* a tendance à nier sa propre force et son pouvoir et à se plier au masculin fort et autoritaire, une déformation de ce pouvoir survient et il semble qu'elle devienne alors victime d'un juge intérieur sévère. Contrairement à la *puella*, l'amazone nie son aspect enjoué.

116

Dans sa forme masculine, cette facette de l'amazone devient comme un adolescent rebelle et coléreux qui a besoin de s'affirmer et de briser le contrôle qu'elle exerce sur elle-même grâce à son armure. La femme qui veut développer une meilleure relation avec le masculin intérieur et le masculin extérieur doit prendre conscience de la présence de ces figures dans sa psyché et évaluer dans quelle mesure elles peuvent affecter son équilibre. Dès qu'elle accepte de les affronter, une nouvelle relation au masculin, différente et créative, émerge.

1. LA *PUELLA* ET LE VIEIL HOMME PERVERS

Plus d'une femme m'a dit au cours d'une analyse: «Comment vais-je arriver à faire cela?... Je suis une incapable... Je fais tout de travers... Il n'y a aucun espoir... Personne ne m'aimera jamais.» M'étant répété cette rengaine à plusieurs reprises, j'ai fini par me demander ce qui se cachait derrière un tel manque de confiance et une image personnelle si négative. Qu'est-ce qui rend les femmes aussi peu sûres d'elles-mêmes et si inquiètes qu'elles semblent condamnées à demeurer des éternelles adolescentes, piégées dans le modèle archétypique de la *puella*?

Un motif récurrent me vint alors soudainement à l'esprit, une image présente aussi bien dans mes rêves que dans ceux des sujets en analyse: celle du vieil homme pervers et sadique. Le rêve suivant illustre ce thème:

Un vieil homme pervers poursuit une jeune fille innocente dans le but de s'emparer d'elle. Le moment idéal sera, d'après lui, celui où elle commencera à porter des robes longues, autrement dit lorsqu'elle sera prête à devenir femme. À ce moment-là, il la détruira. Mais la jeune fille innocente a une amie qui la met en garde contre cet homme. Elle peut alors lui faire face et se défendre. Son plan étant déjoué, le vieil homme pervers est furieux et se jette sur la jeune fille, mais elle lui envoie un coup de pied dans les testicules qui le fait reculer en chancelant. De plus en plus enragé, le vieil homme ramasse un seau d'eau sale qui a servi à laver des fraises et essaie de le lui renverser sur la tête. Mais la fille est plus rapide; elle attrape le seau et le vide sur le vieil homme.

Ce rêve montre bien le rapport qui existe entre les deux figures: la *puella* et le vieil homme pervers. Il indique aussi à quel moment la *puella* peut grandir, tout en mettant en lumière les dangers qui la guettent à ce moment stratégique. Car la confrontation consciente commence alors, et avec elle la possibilité de négocier avec la figure intérieure menaçante. Mais je reviendrai plus loin sur cette possibilité. J'aimerais d'abord examiner plus attentivement ces deux figures, la *puella* et le vieil homme pervers, afin de découvrir pourquoi et de quelle manière ils forment une paire.

Comme chaque Perséphone a un Pluton qui l'emprisonne dans les profondeurs de la terre, la psyché de la *puella* cache une manifestation malade de l'aspect rigide et autoritaire du masculin. Cette figure est, potentiellement, un vieil homme sage, mais celui-ci est devenu malade et méchant car il a été abandonné. Selon moi, cet abandon est dû à un développement paternel inadéquat au cours duquel le père irresponsable ne s'est pas engagé auprès de sa fille sur les plans de l'éros et du logos, autrement dit de l'action et de la parole. En fait, le père ne s'est pas conduit en père.

C'est lorsque le principe paternel — nécessaire à la vie de l'esprit et à la discipline personnelle — vient à manquer ou est déformé que le vieil homme pervers en profite pour faire son entrée. Si j'en juge par ma propre expérience, cette déformation peut se produire chaque fois qu'une des potentialités se trouvant dans la psyché n'est pas utilisée. Celle qui a trait au père est l'une d'elles; les hommes comme les femmes la possèdent en eux-mêmes. Mais une potentialité ne se développe qu'au fil des expériences. Il faut que nous explorions et expérimentions sans cesse, vérifiant, recommençant; c'est le seul moyen de grandir et d'apprendre à utiliser nos possibilités.

Comment la fille va-t-elle explorer et apprendre à utiliser cette partie d'elle-même si son père n'est pas, concrètement parlant, à ses côtés ou s'il ne remplit auprès d'elle qu'une fonction négative dans le cours de son développement? Elle se fiera vraisemblablement à ce que disent sa mère et sa famille et à ses impressions culturelles, mais elle s'appuiera également sur les fantasmes qui ont grandi en elle pour pallier une absence. Lorsqu'un homme n'est pas là en tant que père, il est peu probable qu'il y soit en tant qu'époux. En conséquence, la mère finit par avoir une vision amère ou cynique des hommes et par se fabriquer un homme intérieur négatif, autrement dit une relation négative à la masculinité elle-même. Il n'est dès lors pas surprenant que la fille grandisse avec cette même vision du père et de l'homme et ait une relation déformée avec la masculinité intérieure. Lorsque son imagination travaille à pleine capacité dans un sens négatif, une vision de l'homme «Barbe Bleue» émerge aisément. Ceci peut se produire aussi bien sur le plan intime que sur le plan culturel. Supposons qu'une femme ait grandi dans l'Allemagne nazie — je choisis cet exemple extrême pour mettre en évidence une société dans laquelle régnait la brute fasciste. Quelles images du père et de la spiritualité pouvait-elle avoir? On pourrait aussi prendre pour exemple la société américaine dans laquelle les hommes demeurent souvent des petits garçons, où il y a énormément de divorces, où l'engagement est inexistant et où règne l'éphémère.

Lorsque l'image du père est abîmée, l'image des hommes subit le même sort. La femme a tendance à considérer ceux-ci d'une manière négative et avec méfiance. Mais la vision déformée du père et des hommes en général n'est pas la même pour la *puella* que pour l'amazone. L'amazone considère les hommes comme faibles et inférieurs à la femme; pour elle, ils n'ont aucun pouvoir. Elle se croit forte, puissante et indépendante. Les hommes comptent peu et ne jouent qu'un rôle très insignifiant dans son monde. En revanche, la *puella* abandonne son pouvoir aux hommes. Elle est dépendante, se considère comme une victime à la merci du pouvoir mâle. L'homme fait la loi, et elle se soumet à lui volontiers ou avec réticence. Il n'est pas étonnant dès lors que se développe parfois en elle un syndrome sadomasochiste. Ayant abandonné tout son pouvoir aux hommes, il ne lui en reste que très peu pour elle; en conséquence, sa confiance et l'estime qu'elle éprouve à son propre égard sont presque inexistantes. Il est bien évident que son inconscient abrite une énorme inflation, une image d'elle-même irréaliste et idéalisée. Il arrive qu'elle se sente comme la princesse trop sensible qui n'arrive pas à dormir à cause du petit pois qui se trouve dans son matelas, autrement dit parce qu'elle ne peut supporter ce qui lui paraît inférieur à elle. N'empêche que, consciemment, elle se sent pareille à une Cendrillon maltraitée, repoussée, reléguée à la cuisine et obligée d'accomplir toutes les tâches domestiques subalternes. L'une de mes patientes fit ce rêve, qui illustre clairement cette situation: son petit ami faisait les louanges d'une femme très sûre d'elle qui se comportait d'une manière tout à fait narcissique tandis que la rêveuse travaillait dans l'arrière-cuisine à dépiauter des poulets. Jusqu'au moment où elle ne peut plus supporter cette situation et se met en colère; elle se tourne alors vers la femme et l'accuse d'être gonflée d'orgueil. En fait, c'est ce qu'elle-même devait apprendre à faire dans la vie de tous les jours: reconnaître l'attitude inconsciente, gonflée d'orgueil et narcissique qui l'enchaînait à la pauvre vision qu'elle avait d'elle-même.

La *puella* entend parfois, à l'intérieur d'elle-même, une petite voix cynique et insidieuse qui lui dit qu'elle n'est bonne à rien, qu'elle ne fera jamais rien de valable dans la vie et qu'elle ne mérite pas d'être aimée. Lorsqu'elle croit ce que la voix lui dit, elle entre dans un cercle vicieux à l'intérieur duquel se perpétue cette vision négative qu'elle a d'elle-même. Il est vrai qu'elle «échoue» souvent dans le monde extérieur, mais c'est parce qu'elle a abandonné tout son pouvoir à l'homme intérieur sadique qui lui dit qu'elle va échouer tout en nourrissant les prétentions qu'elle nourrit à l'égard d'elle-même.

Ce phénomène fait sentir ses effets dans les modes de vie des quatre modèles de *puella*: la «petite poupée chérie» qui se conforme aux projections de son partenaire; la fille de verre qui, incapable d'affronter la réalité, se réfugie dans un monde imaginaire; la femme aérienne qui vole d'un homme à l'autre sans jamais s'engager; et la marginale, la mauvaise fille rejetée par la société. En dernière analyse, ce manque de confiance, cette obéissance à la brute qui se dissimule à l'intérieur d'elles-mêmes catapultent ces femmes dans des vies dans lesquelles elles s'étiolent. L'un de mes sujets en analyse rêva que, avant de se rendre à un *shower** de mariage ou de naissance, elle garait sa voiture dans un cul-de-sac où un vieil homme essayait de la lui voler. Lorsqu'elle le prit sur le fait, il

---

* Réunion de femmes ayant lieu chez une future mère ou une future mariée, au cours de laquelle des cadeaux leur sont offerts. (*N.D.T.*)

creva les pneus. Ce rêve symbolisait bien l'incapacité de cette femme de prendre des décisions, d'amener à la vie et d'utiliser, dans sa pleine mesure, son potentiel créateur élevé.

On entend souvent dire que les femmes n'ont jamais fait leurs preuves. «D'un point de vue historique, quelles sont les femmes qui ont créé quelque chose?» dit-on constamment. Si l'on considère comme typique le développement que j'ai décrit, la chose n'est pas du tout surprenante. La *puella* doit traiter avec le vieil homme pervers qui, à l'intérieur d'elle-même, taille son potentiel en pièces, lui enlevant ainsi toute possibilité de créer et d'accomplir quoi que ce soit.

Lorsque j'examine la manière dont le vieil homme pervers a agi sur le plan culturel, je constate qu'il a imposé aux femmes une vision masculine de la créativité, vision tyrannique qui relève de la logique et de la raison. Les femmes qui veulent s'y conformer doivent alors créer comme un homme et oublier leur *centre* féminin intérieur. Comment s'étonner que si peu de femmes aient «réussi»: on a nié leur créativité féminine. Et non content d'imposer des jugements et des standards masculins à la créativité féminine, le vieil homme pervers, si l'on se place toujours au niveau culturel, a fait en sorte que les femmes se sentent coupables chaque fois qu'elles se sont accordé du temps pour leur propre compte. Anaïs Nin, fille d'un éternel adolescent et *puella* elle-même pendant la majeure partie de son existence, a réussi à créer et a apporté sa contribution à la littérature. Elle a analysé ce problème très clairement lors d'une conférence:

> Les femmes qui écrivent ont un problème que les hommes n'ont pas: la culpabilité. D'une certaine manière, la femme a associé l'activité créatrice, la volonté créatrice, à un concept masculin et a toujours vécu dans la peur que cette activité ne soit un acte agressif. Tout cela parce que la culture n'attend pas des femmes qu'elles se réalisent. Elle l'attend seulement des hommes. C'est pourquoi un homme ne se sent pas coupable lorsqu'il s'enferme pendant trois mois, négligeant complètement sa famille, pour écrire un roman. Tandis que les femmes ont été presque endoctrinées avec cette notion que leur vie personnelle était leur devoir le plus strict et que leur écriture ne pouvait être qu'un

moyen d'exprimer leurs sentiments intimes. Elles ont
confondu cela avec la subjectivité et le narcissisme, mais
a-t-on jamais entendu un homme écrivain se faire traiter de
narcisse?[1]

Il est bien entendu que je n'excuse ni ne tente de justifier,
en me basant sur les raisons qui viennent d'être invoquées, le
manque de créativité des femmes. Ce serait tomber dans le
modèle de la *puella*, de la victime, de la fille sans défense à la
merci du vieil homme méchant. Si j'en crois mon expérience,
il est nécessaire, si on veut le changer, de comprendre
d'abord l'élaboration du schéma d'une existence. On trouve,
dans un modèle de vie destructeur, des manifestations intérieures et extérieures. Une fois que celles-ci ont été repérées,
il est nécessaire de les affronter sur les deux plans. Dans le
domaine de la créativité, le plus important pour les femmes
est de voir comment cette figure masculine perverse a agi à la
fois extérieurement au niveau culturel et intérieurement dans
la psyché.
Outre la créativité, la sexualité et les relations intimes
sont d'autres domaines dans lesquels le modèle sadomasochiste peut prendre racine. Dans le rêve mentionné quelques pages plus haut, le vieil homme est un pervers sexuel et
la jeune fille est jeune et innocente. Le vieil homme veut la
détruire d'une manière sadique. On a l'impression que ces
deux personnages sont liés, comme l'innocence et la perversion peuvent l'être. Examinons l'exemple suivant. Une de mes
patientes qui n'avait pas eu de père avec lequel communiquer
ne cessait de chercher un père dans chaque homme rencontré. Lorsqu'elle était devenue adulte, elle s'était coupée de la
sexualité, car coucher avec son père est interdit. Mais son
côté autodestructeur l'avait emporté et elle était passée de la
naïveté à la promiscuité sexuelle, incapable de dire non aux
hommes, même si cela allait à l'encontre de ses sentiments.
Bien qu'elle aimât beaucoup les hommes avec lesquels elle
avait une liaison, elle n'en continuait pas moins à chercher
son père. Elle fixait son choix sur des partenaires sexuels
parce que, par le biais du sexe, elle pouvait avoir l'homme.
Mais ces hommes n'étaient pas disponibles car ils étaient
habituellement mariés; en conséquence, le manque d'enga-

gement dont elle avait souffert de la part de son père se répé-
tait à chaque fois. Étant donné qu'elle n'agissait pas vraiment
à partir du *centre* de son éros féminin mais plutôt en fonction
d'un besoin d'amour (amour que son père ne lui avait jamais
donné), il y avait dans toutes ses liaisons une sorte d'autotra-
hison aussi bien qu'une trahison envers les hommes. Au plus
profond d'elle-même, elle ne leur faisait pas confiance; si elle
l'eût fait, elle aurait été capable de leur dire ce qu'elle ressentait réellement. Le vieil homme pervers qui était en elle lui
avait dit que le seul moyen d'avoir une relation avec un
homme était de mettre son corps sur le marché, ce qui avait
achevé de miner sa confiance en elle-même. Et il l'avait en
même temps conduite vers des hommes mariés. C'est ainsi
que dans sa soi-disant liberté sexuelle elle demeurait enfermée et aussi coupée d'une vraie relation et de son éros qu'elle
l'avait été lorsqu'elle n'était qu'une jeune femme naïve. Mais
le vieil homme pervers n'avait été capable de prendre le
contrôle sur elle et de la tenir à l'écart d'une relation positive
que parce qu'elle lui avait donné le pouvoir par le biais de son
innocence et de son manque d'affirmation féminine, parce
qu'elle était demeurée passive et dépendante, jouant le rôle
de la jeune fille plutôt que de la femme sûre d'elle-même. Ce
schéma est assez commun. Sur le plan extérieur toujours, il
suffit pour en être persuadé de considérer l'incidence élevée
d'abus sexuels exercés sur des enfants. Les femmes qui,
jeunes, ont été sujettes à des assauts sexuels ou violées par
des hommes plus âgés ont été victimes de cette perversion de
la manière la plus grave. Leur confiance en elles a été sérieusement endommagée; si l'on regarde attentivement au fond
d'elles-mêmes, on y découvre le vieil homme pervers, animus
négatif et tortionnaire qui perpétue les abus qu'elles ont
subis. Un autre exemple sur le plan social est la prostituée.
Des études ont démontré que les prostituées ont souvent été
rejetées brutalement par leur père et qu'elles rejouent ce rejet
et la haine qui l'a accompagné en se vendant aux hommes.
Mais on retrouve également ce schéma, bien enfoui mais agissant, chez la ménagère apparemment heureuse ou chez la fille
qui couche avec tout le monde.

Le film *Le dernier tango à Paris* montre cette association
vieil homme sadique-jeune femme masochiste poussée à

l'extrême. Et il montre également que le danger concerne aussi bien l'homme que la femme. Au début du film, un homme d'un certain âge, brisé, rencontre accidentellement une jeune femme pleine de vie alors qu'ils visitent l'un et l'autre le même appartement en vue de le louer. Leur relation, qui commence d'emblée par un rapport sexuel, est tout à fait impersonnelle — l'homme a déclaré à la jeune femme qu'ils ne se retrouveront dans cet endroit que pour y faire l'amour et qu'aucune question ayant trait à la vie privée ne pourra être posée. Ils ne connaissent même pas leurs noms respectifs. La jeune fille a bien essayé de connaître celui de son partenaire, mais devant son refus de le lui dire, elle s'est pliée à sa volonté, ainsi qu'à toutes ses exigences sexuelles, quelles qu'elles soient. Ce qui a commencé pour elle comme une aventure sans lendemain se transforme en besoin compulsif. Au cours de leurs rapports sexuels, elle se prête à une série d'actes aussi humiliants que dégradants. Mais lorsque l'on se demande si ce scénario va se dérouler indéfiniment, la situation prend une tournure tout à fait différente. On comprend alors que l'homme est tombé amoureux de la jeune femme et voudrait avoir une autre relation avec elle. Mais aussitôt que cela se produit, c'est elle qui insiste pour que l'anonymat soit gardé. C'est elle qui rejette l'homme et prend le contrôle. Finalement, comme il continue à la harceler, elle prend peur et, dans une crise d'hystérie, l'abat d'un coup de revolver. Puis elle dit:

> Je ne sais pas qui il est. Il m'a suivie dans la rue. Il a essayé de me violer. C'est un fou. Je ne connais pas son nom. Je ne connais pas son nom. Je ne sais pas qui il est. C'est un fou. Je ne connais pas son nom.[2]

C'est ainsi qu'elle essaie de se justifier elle-même en clamant son innocence et son ignorance, autrement dit en déclarant qu'elle ne connaît pas le nom de l'homme.

Ce film traduit de façon extrêmement dramatique l'interaction existant entre l'homme sadique et la femme masochiste. Mais, plus important encore, il montre une image de cette relation que l'on n'a pas souvent vue, à savoir que la fille elle aussi est sadique. N'est-ce pas elle qui finalement tue l'homme après avoir rejeté la possibilité d'avoir une vraie relation avec lui? L'autre face de sa soumission aux hommes est son sentiment négatif, fait de dégoût, et même de haine envers eux. Dans *Amour et orgasme*[3], Alexander Lowen décrit ce schéma de fille dépendante selon une perspective différente. Il explique que certaines femmes se conduisent comme des prostituées psychologiques qui, parce qu'elles ont été rejetées, souffrent d'un grand besoin d'amour. Une femme qui vit ce désarroi ferait n'importe quoi pour obtenir l'amour qu'elle recherche. Mais son besoin est si énorme qu'il dévore l'homme avec lequel elle a une relation; quels que soient l'amour et l'attachement dont il fait preuve, elle n'est jamais comblée. Le besoin de cette femme étant insatiable, son partenaire finit par échouer et par se sentir coupable. Alors, déçue, elle le rejette avec mépris, comme un bon à rien.

Bien qu'il s'agisse là d'une attitude extrême, je crois qu'on retrouve généralement cet élément dans la plupart des schémas *puella*-vieil homme pervers. Dans le premier rêve, la jeune fille innocente doit affronter le vieil homme pervers. Ce faisant, elle doit prendre conscience de sa présence; elle ne peut agir comme s'il n'était pas là, ainsi qu'elle le faisait lorsqu'elle était innocente. C'est cette identification consciente qui lui permet en fin de compte de s'affirmer et, de cette manière, de triompher de l'autorité cynique et menaçante du vieil homme. C'est en lui lançant à la tête l'eau qui a servi à laver des fraises qu'elle revendique sa féminité, refuse de se laisser «éteindre» par les eaux sales de l'amour raté et affirme le pouvoir qu'elle tire de sa capacité d'aimer. Mais elle doit d'abord affronter la figure perverse, autrement dit faire en sorte de l'identifier et de la nommer. Dans *Le dernier tango à Paris*, la tragédie survient lorsque la jeune fille a peur de rencontrer enfin le vieil homme, lorsqu'elle a peur de savoir qui il est, de l'identifier, de savoir son nom. Inversement, dans le rêve — comme dans le conte *Rumpelstiltskin* —, c'est précisément en apprenant le nom de l'homme en question et en identifiant la figure perverse que la tragédie est évitée et que la femme échappe à son emprise.

Mais comment en arrive-t-on à identifier et à nommer cette figure? Par le rêve d'abord, qui nous dévoile les différents personnages qui sont en nous et la dynamique qui opère entre eux. Ensuite par les projections que nous faisons sur certaines personnes, ces fantasmes consistant à les voir selon nos attentes et nos désirs. Les contes de fées, les mythes, la littérature et le cinéma nous procurent également une possibilité de nous reconnaître dans les personnages qui les peuplent et de voir un reflet de notre comportement dans les schémas interactifs qu'ils révèlent. Il y a aussi l'imagination active, c'est-à-dire un dialogue animé avec la figure intérieure, qui permet de découvrir qui elle est, pourquoi elle est là et la raison pour laquelle elle agit comme elle le fait. Une de mes patientes me raconta une conversation imaginaire qu'elle avait eue avec une figure de vieil homme pervers qui était apparue dans plusieurs de ses rêves. Lorsqu'elle lui avait demandé pourquoi il était si méchant et si vicieux, il lui avait répondu: «Jeune fille, tu me casses les pieds avec ton innocence hypocrite. Tu joues les pauvres victimes sans défense. Tu me négliges et tu me blâmes, pourtant j'ai besoin que l'on s'occupe aussi de moi. C'est pour cela que je te harcèle. Essaie de me comprendre, de comprendre pourquoi je me sens si frustré. C'est pour cela que je suis méchant avec toi.»

Ce personnage intérieur semblait vouloir dire à cette femme qu'il était devenu pervers parce qu'elle l'ignorait constamment et se conduisait comme s'il n'existait pas. Aussitôt qu'elle avait commencé à s'intéresser à lui, à lui parler et à se montrer plus amicale, il s'était mis à changer.

Tout cela démontre bien que la *puella* qui ignore ou néglige le vieil homme pervers qui est en elle reste prise dans une position de passivité et de vulnérabilité. Mais comment peut-on négliger cette figure sur le plan psychologique? Le premier moyen consiste à lui refuser toute existence. Prenons par exemple cet optimisme découlant d'un idéalisme excessif qui fait que l'on n'accepte ni limites ni barrières, cette attitude aérienne qui consiste à croire que tout est possible et à refuser de reconnaître le pouvoir des forces cachées et démoniaques. L'impatience est une des manifestations de la négligence de la fille aérienne; l'impatience qui fait que l'on ignore les limites temporelles et que l'on vole vers le futur au lieu de faire ce qui doit être fait dans le présent. Quant à la «petite poupée chérie», elle est susceptible de tomber dans le piège des projections exagérément idéalistes que son père et ses

amants font sur elle et d'être ainsi incapable de reconnaître
son propre aspect caché. L'envers de la médaille de cette attitude est de s'identifier à son aspect caché en adoptant un
comportement de rébellion qui ne permet pas d'affronter la
figure du vieil homme pervers, comme le fait la marginale
parce qu'elle s'identifie beaucoup trop à cette figure. Une
complaisance exagérée envers la drogue, l'alcool et le sexe
est un exemple de ce comportement dans lequel les résis-
tances naturelles du corps et de la vie émotionnelle ne sont
pas acceptées. La fille de verre, elle, néglige le vieil homme
pervers en se retirant dans son monde imaginaire.

Le vieil homme pervers est également négligé lorsqu'on
essaie de lui échapper. L'une de mes patientes était poursuivie dans un rêve par un vieil homme menaçant qu'elle
essayait de distancer. Lorsqu'ils arrivèrent devant une
barrière, elle se retourna et lui donna un coup de pied dans le
tibia, ce qui le fit trébucher puis tomber dans un trou dans
lequel se trouvait un cercueil. Elle commença alors à
l'enterrer, mais ne put mener son entreprise à bien et il se
remit à la poursuivre en lui criant que cette fois elle ne lui
échapperait pas. C'est ce qu'elle fit pourtant. Tandis qu'elle
courait, elle fut soudainement aspirée dans une colonne vide
qui montait vers le ciel. Si l'on examine le cas de cette
patiente, on se rend compte que celle-ci subissait le vieil
homme pervers de façon consciente en raison de sa propre
attitude cynique et autocritique, qui la poussait à se traiter
constamment d'incapable et lui insufflait ce sentiment de
culpabilité que l'on ressent lorsqu'on se fait l'effet d'être une
bonne à rien. C'est cette même attitude qui lui fit abandonner
ses études pendant plusieurs années et qui, lorsqu'elle se
décida enfin à reprendre ses cours, la remplit de la certitude
qu'elle ne réussirait pas. À l'époque où elle fit son rêve, elle
avait commencé à affronter la figure intérieure qui la harce-
lait, mais le processus n'était pas encore achevé et elle
essayait parfois d'abandonner la lutte. La colonne vide
montant vers le ciel dans laquelle elle avait été happée
symbolisait un espace vide en elle-même, un sentiment de
dépression et de culpabilité à l'idée qu'elle n'avait pu concrétiser ses potentialités; la seule chose qu'elle avait pu faire,
avait été de projeter sa créativité sur les hommes avec

lesquels elle avait eu une relation intime. Au cours de l'analyse, tandis qu'elle commençait à faire face à son cynisme intérieur et à tenir bon contre lui, elle se sentit de moins en moins souvent victime des circonstances et se mit à prendre l'entière responsabilité de ses décisions. Et lorsqu'elle décida d'augmenter ses connaissances sur le plan professionnel et que ses petites voix intérieures cyniques et méchantes lui crièrent: «Tu ne mérites pas de réussir», elle leur répondit à haute et intelligible voix qu'elles se trompaient: elle était tout à fait en mesure d'atteindre le but qu'elle s'était fixé. C'est alors qu'un nouvel aspect du monde se révéla à elle.

Une des meilleures raisons de fuir une telle figure est qu'elle peut devenir très diabolique. Le diable est rejeté et négligé, mais cela ne supprime ni son orgueil ni sa vanité. Et ces deux éléments — rejet et orgueil — se relaient généralement dans la psyché. En ce qui me concerne, c'est lorsque je me sentais rejetée que je réagissais en me disant: «Très bien, puisque c'est comme ça, je vais dans un autre endroit où je serai considérée à ma juste valeur…» Cette attitude prouve que le rejet n'est pas affronté dans une affirmation consciente de la valeur que l'on a et qu'une compensation est recherchée sur le plan du fantasme, dans lequel on se sent important — contrairement à ces balourds qui sont trop stupides pour s'en rendre compte! Mais tout cela n'en est pas moins accompagné de la peur que les «balourds» en question n'aient effectivement vu juste.

Affronter le vieil homme pervers signifie que l'on affronte le complexe rejet/exagération. Cela veut dire que l'on fait face à sa propre identification avec l'orgueil démoniaque, à la fois puissant et impuissant, qui dit: «Je ne peux pas le faire», laissant ainsi entendre que l'on possède en soi-même le pouvoir de décider de ce que l'on peut ou ne peut pas faire. Cette attitude ne laisse aucune faculté d'agir aux pouvoirs plus élevés qui se trouvent au-delà de l'ego, ces ressources intimes qui permettent de guérir, bien que l'on dissimule cette incapacité sous le voile de l'innocence et de la faiblesse enfantines. Affronter le vieil homme pervers signifie que l'on prend le risque de devoir se battre avec cette figure — combat qui peut déboucher sur une force nouvelle, comme cela s'est passé pour la jeune fille du rêve qui lançait le seau d'eau sale et recevait la confirmation que cette action devait être accomplie. Affronter le vieil homme pervers veut également dire que l'on doit faire face à l'éventualité qu'il y ait, dans la perversion, quelque possibilité cachée. Après tout, le diable n'est-il pas un ange déchu, un être de lumière dont les possibilités n'ont pu se développer adéquatement à cause de ses mauvaises dispositions?

Un exemple d'imagination active à laquelle s'est livrée une jeune femme au cours de son analyse donne une idée de la manière dont on peut déceler des valeurs possibles dissimulées par la perversion:

> Arrivée au bord de l'eau, j'ai sauté sur un radeau tiré par un cygne géant. Tandis que nous glissions sur la mer, nous avons dépassé une fleur de lotus, large et très belle. Puis le cygne a plongé dans la mer et nous nous sommes retrouvés à l'entrée d'une grotte. Là, une sorcière m'attendait qui m'a fait traverser plusieurs cavernes; nous avons croisé un sanglier et nous nous sommes arrêtées dans une pièce ronde où la sorcière m'a ordonné de danser avec un cancrelat géant. Au début nous avons dansé à trois, puis la sorcière m'a laissée seule avec le cancrelat. Cela me répugnait, m'horrifiait de devoir danser avec cet insecte horrible et dégoûtant, mais je l'ai quand même fait. Et soudain, sa carapace s'est fendue et un beau prince en est sorti.

L'association de cette femme avec le cancrelat symbolisait celle qu'elle avait eue avec son père, pour lequel elle professait un grand mépris. Elle le trouvait dégoûtant et inférieur, et rejetait ses qualités car elle se disait que celles-ci avaient mal tourné. Les souvenirs qu'elle avait de lui étaient essentiellement négatifs — il rentrait à la maison tard dans la nuit, quand les cancrelats grouillaient partout; il se montrait souvent irrationnel et devenait alors incapable de contrôler ses émotions. En vérité, c'était également un homme très chaleureux, sociable et sensible, mais il était resté trop attaché à sa mère et n'avait pas trouvé en lui la force intérieure et la discipline nécessaires pour donner forme et structure à ses sentiments intenses. Il venait lui aussi d'un foyer où le père était inadéquat. Quant à sa mère, elle était malade. Il n'avait donc pas trouvé de modèle auquel se conformer. Sa fille, ne voyant que le côté négatif de la sensibilité et de la personnalité ouverte de son père, avait rejeté ces mêmes qualités en elle. C'est seulement lorsqu'elle avait eu le courage de danser avec le cancrelat répugnant, représentant le côté obscur de son père, et que la carapace de l'insecte s'était ouverte qu'elle avait enfin eu accès à tous les aspects positifs de la sensibilité de cet homme. Mais pour rejoindre cette face d'elle-même, elle avait dû affronter d'abord la mère négative et rejetante (la sorcière) et sa rage contre son père (le sanglier). Quant au cygne géant, elle l'associait au cygne qui avait tiré le radeau de Lohengrin, sauveur du vase sacré. Pour cette femme, le chemin de la délivrance avait été de danser avec la figure perverse, représentée par le cancrelat.

Un jour, alors que je lisais *Le nain jaune*, un conte de fées écrit par une femme, Mme d'Aulnoy, il m'apparut tout à coup que cette histoire pourrait très bien être une illustration de ce que vit la *puella* et des embûches qui la guettent lorsqu'elle ne peut développer sa force et faire face consciemment au vieil homme pervers. Ce conte suggère aussi quelques dispositions à prendre pour se transformer. Il met en scène une reine qui n'a qu'une seule fille. Étant donné que le roi est mort et que la petite princesse est tout ce qui lui reste, la reine a peur de perdre l'amour de sa fille et, dans cette hantise, ne cesse de la dorloter et de la gâter, sans jamais la reprendre lorsqu'elle fait des bêtises. La princesse — comme on peut s'y attendre — finit par devenir très orgueilleuse. Elle est si vaniteuse et si amoureuse de sa beauté qu'elle méprise tous ceux qui l'entourent. Au début la reine est fière de l'admiration des soupirants de sa fille, mais elle commence à se faire du souci lorsque celle-ci lui déclare qu'elle ne se mariera pas car aucun de ses prétendants n'est assez bien pour elle. Comprenant qu'elle a eu tort de laisser sa fille agir selon ses volontés, la reine décide d'aller consulter une sorcière que l'on nomme «la fée du désert». Sur le chemin qui mène à cette sorcière se trouvent des lions féroces, aussi la reine prend-elle soin d'emporter des gâteaux afin de les leur offrir. Après quelques heures de marche, elle se sent fatiguée et se couche au pied d'un oranger. Elle s'y

endort et quelqu'un vole les gâteaux. Ce sont les rugisse-
ments des lions qui la réveillent et, en ouvrant les yeux, elle
aperçoit un nain jaune juché dans l'oranger, dont il mange les
fruits. Celui-ci lui dit qu'il la sauvera des lions si elle lui
promet de lui donner sa fille en mariage. Comme elle a très
peur des fauves, elle accepte, bien que ce petit être lui
répugne. Rentrée chez elle, la reine sombre dans la dépression; la promesse qu'elle a faite la rend très malheureuse. Elle
ne dit cependant rien à âme qui vive. Un jour, la princesse,
inquiète de voir la tristesse dans laquelle sa mère est plongée, décide d'aller consulter elle aussi la fée du désert. Elle
tombe endormie sous le même oranger et, en se réveillant,
aperçoit le nain jaune. Lorsqu'il lui révèle la promesse que lui
a faite la reine, elle ressent un grand dégoût. C'est alors
qu'apparaissent les lions et que la jeune femme, afin d'être
sauvée, accepte de devenir l'épouse du nain. Puis, désespérée, Bellissima — c'est son nom — rentre au château.

Ayant perdu un peu de sa fierté depuis sa rencontre avec
le nain jaune, Bellissima se résoud à épouser un de ses prétendants, d'autant plus que c'est peut-être un bon moyen
d'échapper à l'affreux nain. Son choix se porte sur le roi des
mines d'or, jeune homme peu sûr de lui qui, lorsqu'elle lui
annonce sa décision, n'arrive pas à croire qu'il a été choisi.
Mais il se réjouit cependant, et la princesse ne tarde pas à
tomber amoureuse de lui. Arrive le jour des noces. Hélas,
avant même que ne commence la cérémonie, deux personnages arrivent à grand fracas sur les lieux de la fête: la fée du
désert et le nain jaune. Ce dernier provoque en duel le roi des
mines d'or et les deux hommes commencent à se battre. Mais
le roi perd courage et concentration lorsqu'il aperçoit la fée
du désert, cette vieille sorcière au cou entouré de serpents,
assommer Bellissima et l'emporter sur son dos. Mettant fin à
son combat avec le nain jaune, le jeune homme se lance à la
poursuite de la sorcière afin de sauver Bellissima ou de
mourir avec elle. Mais il est si horrifié par les événements qui
se déroulent qu'il perd connaissance lui aussi. La sorcière le
ramasse et l'emporte avec la princesse.

Mais voilà que la méchante fée se transforme en belle
jeune femme. Bellissima, qui voit le roi transporté par cette
dernière, est jalouse et se sent misérable. Le roi, de son côté,

sait ce qui se cache sous le déguisement et qu'il ne pourra échapper à la sorcière qu'en se montrant très patient et rusé. Par des flatteries, il gagne la confiance de la sorcière, qui finit par le laisser seul. Une sirène vient alors à lui pour l'aider à s'enfuir. Elle lui révèle qu'il va devoir combattre plusieurs ennemis et lui remet une épée taillée dans un diamant, qui va lui permettre de vaincre tous ses assaillants, à une condition cependant, c'est qu'il la garde toujours à la main; l'épée ne peut tomber par terre.

Le roi se met à la recherche de Bellissima et rencontre d'abord quatre terribles sphynx, qu'il doit tuer, et six dragons dont les écailles sont aussi dures que l'acier, qu'il doit également abattre. Ce qu'il fait. Puis il trouve sur sa route vingt-quatre nymphes jolies et gracieuses portant des guirlandes de fleurs. Il les tue et aperçoit ensuite Bellissima. Il se précipite vers elle, mais elle le fuit, persuadée qu'il l'a trahie. Le jeune homme se jette à ses pieds pour lui crier son amour et, dans cet élan passionné... laisse tomber son épée. Survient alors le nain, qui attrape l'épée et coupe la tête du roi. La princesse, le cœur brisé, meurt à son tour.

Comme il n'y a dans ce conte ni père ni principe paternel, ses grandes lignes semblent refléter la situation dans laquelle se trouve une fille lorsqu'elle n'a pas eu de père ou lorsque celui-ci a été inadéquat; en conséquence, celle-ci n'a été soumise à aucune autorité et n'a pas été reprise lorsqu'elle se conduisait mal. C'est une enfant gâtée, qui n'a aucun sens des responsabilités et qui est incapable de respecter un engagement. Elle est tout simplement Bellissima, la plus belle des princesses, mais elle ne peut pas aimer. La première confrontation véritable avec le principe masculin a lieu lors de la rencontre avec le nain jaune, figure masculine négative. Il se livre au chantage sur la mère et sur la fille et veut posséder cette dernière. En outre, lorsqu'il apparaît pour la première fois, il mange des oranges provenant de l'arbre sous lequel mère et fille se sont endormies. Si l'on prend l'arbre comme symbole de vie et de croissance et les oranges comme celui d'une existence fructueuse, il est évident que c'est le nain jaune qui possède les unes comme l'autre. Étant donné que ni la mère ni la fille n'ont développé en elles-mêmes la conscience, la discipline et le courage nécessaires pour se défendre, elles tombent endormies, perdent les gâteaux et sont tellement terrorisées par les lions qu'elles acceptent de se soumettre à la volonté du nain, devenant ainsi ses victimes. Ce qui manque ici, c'est un développement masculin positif, autrement dit une prise de conscience et l'exploitation de qualités telles que le courage, la discipline et la détermination. Il n'y a aucune influence positive provenant du principe masculin. Celui-ci reste au contraire ébauché, laissant la place libre à une prise de pouvoir de l'influence perverse du nain, qui fait de la femme une victime. La confrontation avec le nain n'est pas tout à fait destructrice, cependant, car elle porte atteinte au narcissisme et à la vanité de la princesse. Pour la première fois de sa vie, celle-ci prend une décision en s'engageant à épouser le roi des mines d'or, principe masculin potentiellement positif. Hélas, cet homme est si peu sûr de lui et si désarmé devant la brutalité qu'il perd connaissance et ne peut plus se battre. Une autre chance lui est néanmoins donnée par la sirène, symbole de la sagesse féminine, qui l'aide à s'échapper et lui donne son épée, symbole des qualités mentionnées plus haut — elle coupe, donc permet d'établir des distinctions, et rend apte au combat. Dans le bouddhisme tibétain, l'épée symbolise les qualités de la «confiance de Vajra», une confiance qui vient spontanément du *centre* de l'individu; et dans le symbolisme chrétien elle appartient à saint Georges, le héros qui terrasse le dragon. C'est également l'épée qui donne au roi Arthur le pouvoir de former la table ronde, lieu de communion et de communication.

En utilisant l'épée, le roi tue ses ennemis: les sphynx, les dragons et les jolies nymphes, tous symboles des dangers provenant du monde féminin non intégré. La mère sphynx négative pose des devinettes impossibles à résoudre et encourage ainsi l'indécision; le dragon, qui consume, pousse à l'apathie et à la dépression et les jeunes et jolies nymphes séduisent grâce à leur beauté et à leur innocence. Mais à la fin de l'histoire, le roi perd sa tâche de vue lorsqu'il essaie de convaincre la princesse qu'il l'aime et tente de guérir son orgueil blessé. Il est capable de tromper la vigilance des nymphes, mais pas celle de la princesse. Il s'incline alors devant le sentiment qu'elle a d'avoir été trahie, devant la pitié qu'elle éprouve à l'égard d'elle-même et laisse tomber son épée, perdant ainsi toute sa force et les résultats qu'il a obtenus jusque-là. Ainsi, aucune transformation n'est plus possible.

Ce conte, selon moi, illustre clairement l'allure que peut avoir, chez la *puella*, le côté masculin intérieur atrophié. On y trouve d'une part le nain jaune, image du masculin dans sa forme pervertie, figure qui tourmente la *puella* en lui insufflant manque de confiance en elle, apitoiement sur son propre sort, narcissisme, dépression, pensées suicidaires, apathie, etc., et d'autre part le roi des mines d'or, figure qui possède la capacité de vaincre cette autodestruction mais n'est ni assez développée ni assez forte et sensible pour mener sa tâche à bien. Ce qui lui manque, c'est le pouvoir de se concentrer consciemment sur cette tâche ainsi que la force courageuse, la patience et l'endurance nécessaires pour s'y consacrer aveuglément et quoi qu'il arrive.

Ainsi que le démontre le conte, ce dont a besoin la *puella*, quel que soit le modèle qu'elle ait adopté, c'est de développer la guerrière intérieure, d'apprendre à tenir fermement son épée. Karin Boye l'a très bien exprimé dans un poème qu'elle a d'ailleurs intitulé: «L'épée».

> Une épée
> flexible, souple et puissante
> une épée qui danse
> fièrement, obéissant aux lois sévères et
> aux rythmes durs de l'acier.
> Une épée
> c'est ce que je veux être — corps et âme.
> Je hais mon âme misérable et gémissante
> qui endure avec patience, tordue et tressée
> par d'autres mains.
> Je te hais
> âme rêveuse et paresseuse.
> Tu dois mourir.
> Aide-moi, ma haine, sœur de mon désir
> Aide-moi, sois
> une épée
> une épée dansante d'acier bien trempé.[5]

Au cours de mes recherches sur la *puella*, j'ai trouvé chez Carlos Castaneda une extraordinaire description du «guerrier»[6]. Les ouvrages de Castaneda, selon moi, décrivent la plupart des attitudes typiquement puériles qui sont l'apanage de certains individus dans notre culture. On les retrouve dans le personnage de Castaneda lui-même. Son maître, l'Indien yaqui don Juan, ne cesse d'obliger Castaneda à faire face à son absence de courage et d'engagement et, par la même occasion, lui démontre son incapacité d'agir et de s'ouvrir au monde. Castaneda joue constamment les victimes, s'apitoie sur son passé, romance son existence (il se prend trop au sérieux), est impatient, a peur d'assumer la responsabilité de ses actes, tue le temps sans avoir le courage de vivre, se plaint, s'ennuie, se justifie constamment, se complaît dans le sentimentalisme, se cramponne à et se morfond dans ses sentiments de culpabilité, etc. Comme la *puella*, dont il est le pendant, il gaspille son pouvoir en vaines doléances, en apitoiement sur lui-même, en apathie. Don Juan explique à Castaneda qu'il agit de la sorte afin d'éviter de prendre ses responsabilités. Selon le sorcier yaqui, la pusillanimité est une perte de temps; elle n'est qu'un produit de l'imagination qui empêche d'agir quand l'action est nécessaire. Au lieu de gémir, de pleurer sur son sort, de se complaire dans ses angoisses, il faut au contraire être un guerrier! Devenir fort ne demande pas plus d'énergie que de devenir misérable, déclare don Juan. En conséquence, le guerrier ne doit pas gaspiller son temps en jérémiades mais prendre ses responsabilités et vivre stratégiquement, attentif au synchronisme et à tout ce qu'il représente. Le guerrier n'a pas peur parce qu'il est guidé par un but inflexible, parce qu'il se concentre sur ce but avec vigilance — ce qui lui permet de faire face à n'importe quelles menaces et terreurs. Puiser sa force en lui-même et apprendre, dans le même temps, à se sortir de lui-même, telle est la tâche du guerrier. Il incarne ainsi la réceptivité et la créativité intégrées, car il aime et vit les paradoxes de l'existence, s'efforçant d'équilibrer en lui la terreur et l'émerveillement qu'il ressent devant la vie.

Contrairement à l'adoption du modèle courant de la *puella*, fait d'innocence et du désir de séduire, qui cache une agressivité et une hostilité enfouies, la confrontation directe exige une affirmation aussi concentrée sur son but et aussi vigilante que celle dont doit faire preuve le guerrier de Castaneda — une volonté de tenir bon et de s'ouvrir à ce qui nous entoure. Et lors de cette découverte (rappelons-nous le cancrelat qui se métamorphose en prince), on se rend compte que le vieil homme pervers n'était que la carapace recouvrant la sagesse et la vigueur juvénile du prince intérieur attendant que la femme utilise cette force neuve. La *puella* adolescente devrait lire ces mots de Rainer Maria Rilke, qui s'interroge sur un modèle similaire, bien qu'il fasse partie de la psyché masculine:

> Comment oublier ces mythes anciens des débuts de l'histoire des peuples, ces mythes où les dragons se transforment en princesses? Les dragons de notre vie sont peut-être des princesses qui n'attendent de nous qu'une chose: que nous nous montrions beaux et braves. Ce qui est terrible n'est peut-être au fond qu'une chose sans défense qui attend que nous l'aidions.[7]

2. L'AMAZONE, LE GARÇON EN COLÈRE ET LE FOU

Il arrive que l'armure dans laquelle l'amazone est emprisonnée se fasse affreusement lourde. Traîner partout le poids de la réussite, du devoir, du martyre ou de la revendication peut devenir écrasant. Pour ceux qui l'entourent, l'amazone occupe une position qui inspire le respect. Elle a beaucoup travaillé, elle a souffert; elle a souvent fait taire ses pulsions au profit de buts plus élevés. Elle s'est montrée responsable et droite. Comme le géant Atlas elle a, au figuré, porté le monde sur ses épaules. Pas étonnant dès lors que son dos et ses épaules se mettent à rechigner; pas étonnant qu'elle s'effondre et que son armure commence à se fissurer de toutes parts. Mais sous l'armure, derrière la *persona* forte et imposante, on découvre souvent, profondément enfoui dans la psyché, un garçon en colère, sensible et rebelle — en colère parce qu'il est faible, délaissé et qu'on le tient pour fou. J'ai retrouvé fréquemment cette image du garçon en colère dans la psyché de l'amazone; autrement dit dans le modèle de la femme qui a opté pour une adaptation de l'ego forte et masculine.

Je l'ai rencontrée moi-même, cette image, dans un rêve que j'ai fait très peu de temps avant de commencer une analyse. À cette époque, je venais de terminer cette tâche ardue qui consiste à passer un doctorat en philosophie. J'étais mariée, mais mon époux et moi vivions quasiment en célibataires. Bien que mes désirs et mes sentiments, aussi nombreux que pressants, fussent en contradiction avec cette idée, j'avais également accepté le principe voulant que la femme ne soit pas différente de l'homme. En conséquence, je me sentais coupable et m'ingéniais à les supprimer. Inutile de dire que j'étais passablement déprimée. Dans mon rêve, un jeune garçon de douze ans aux cheveux roux était assis derrière moi sur une colline herbue et me lançait des petits cailloux pointus qui m'atteignaient au dos et aux épaules. Il était manifestement en colère contre moi et essayait d'attirer mon attention. Ce à quoi il arriva finalement. Peu de temps après ce rêve, je commençai une analyse; mon univers professionnel si bien défendu s'était mis à craquer de toutes parts. J'étais confrontée aux sentiments du garçon en colère.

Je ne parle pas ici du côté positif de l'amazone, de sa confiance en elle, de sa capacité de s'affirmer, de ses succès, qui sont extrêmement valables. Je parle au contraire des sentiments qui habitent ces femmes qui ont adopté une position propre à l'amazone en réaction à un paternage inadéquat, autrement dit des femmes qui sont écrasées par le poids du rôle à jouer, qui sont épuisées par leurs combats, leur travail et qui ne retrouvent plus dans les tâches qu'elles ont choisi d'accomplir le sens qu'elles leur avaient donné au départ. Le fait que leur vie ait perdu son sens, leur épuisement laissent à penser que leur existence est devenue trop rigide et trop sévère. Où sont donc passés le plaisir, le jeu, la spontanéité? Le côté joueur, juvénile semble s'être perdu, mais je crois pour ma part qu'il se cache sous la figure du garçon révolté et en colère. Que le côté juvénile se soit perdu n'est pas très surprenant dans le cas d'une femme chez qui il a été chargé de déceptions, de trahisons, de soucis ou de honte.

Le fait de jeter le bébé avec l'eau du bain est aussi courant que l'expression; ainsi l'on jette souvent, en réaction au côté dangereux et répugnant, le côté positif et exaltant. Dans le cas de la *puella*, je pense que cette attitude intervient quand le principe paternel dont elle a fait l'expérience n'a constitué qu'un élément atrophié et/ou déformé. L'amazone, au contraire, plutôt que de rester passive et de rechercher le père dans un autre homme, essaie de l'incorporer. Tandis qu'elle tente de devenir son propre père, son adaptation de l'ego, simultanément, a tendance à devenir masculine. Alors que l'intégration du principe paternel est, en dernière analyse, essentielle au développement d'une femme, la réaction de l'amazone repose sur une identification avec cet aspect du masculin sérieux et posé, vigoureux et puissant, compétent et épanoui, consciencieux et responsable. Le côté primesautier, joueur, spontané, imaginatif et amusant est généralement négligé et dévalué. Pas étonnant dès lors qu'il se fâche et devienne brutal.

L'une des manières dont le garçon en colère peut perturber la vie de l'amazone est de lui poser des problèmes avec la collectivité. Ne vous arrive-t-il pas souvent, lorsque vous vous évertuez à faire les choses correctement — conduire votre voiture, par exemple — que surgisse un petit farceur qui vous pousse à prendre une voie à sens unique, provoquant ainsi la désapprobation du policier qui vous suit pour vous infliger une contravention? Mais cette perturbation peut aussi affecter le corps, qui se rebelle alors contre le surmenage et les contraintes qu'on lui impose en manifestant divers symptômes: ulcère, colite, maux de tête ou de dos, douleurs et tiraillements dans la nuque. Le garçon en colère peut aussi provoquer une dépression qui va rendre difficile l'accomplissement des tâches professionnelles, aussi bien que des bévues qui vont tourner la femme en ridicule. Ses attaques sur le plan extérieur sont parfois flagrantes.

Un jour où j'avais passé plusieurs heures à essayer de cerner ce sujet, je décidai d'aller me promener pour me changer les idées. Tandis que je roulais lentement dans une rue, deux jeunes garçons qui jouaient sur le trottoir envoyèrent une petite auto mécanique sous les roues de ma voiture. Tout se passa si soudainement qu'il me fut impossible de m'arrêter à temps. J'écrasai leur jouet, et ils se fâchèrent. Au lieu de les affronter réellement en donnant libre cours à ma propre colère et en fustigeant leur irresponsabilité, ce qui m'aurait peut-être permis d'avoir avec eux un dialogue utile, je continuai à rouler vers la plage où je voulais me rendre. J'y garai ma voiture et sortis me promener. Lorsque je revins, je m'aperçus que mon pare-brise et le reste de la voiture avaient été maculés de jaune d'œuf. C'était sans nul doute le travail de mes deux mécontents. J'étais non seulement furieuse, mais je me sentais humiliée et sans défense. C'est ce qui se produit souvent après une attaque du garçon en colère; on se sent ridicule et vulnérable. Ces garçons furieux m'avaient littéralement «ch... dessus». Après mûre réflexion, je réalisai que non seulement j'avais écrasé un jouet, symbole de mon côté enfantin nié, mais qu'en plus j'avais peur des autorités, autrement dit de la police. Car je m'étais demandé, immédiatement après avoir roulé sur la petite auto mécanique, si cela pouvait être sanctionné par une contravention. Je m'étais fait ridiculiser par ces deux garçons, mais j'avais aussi beaucoup appris sur moi-même.

La transformation du garçon rebelle pourrait être illustrée par le fou du jeu de tarot. On trouve cette figure dans beaucoup de contes de fées dans lesquels il y a un fils cadet qui a l'air stupide, empoté, et qui n'est qu'un incapable comparé à ses frères aînés. Ces derniers sont bien entendu de jolis garçons forts et capables qui tournent leur jeune frère un peu niais en ridicule et exercent sur lui leur cynisme sarcastique. Et pourtant, c'est le fou et non ses frères qui, dans les contes de fées, se montre capable d'accomplir certaines actions.

Je reviendrai dans un instant à ces contes, mais je voudrais donner d'abord un exemple concret de la manière dont le personnage du fou m'a personnellement aidée. Tandis que j'écrivais mes réflexions sur l'amazone, mon côté «amazonien» se réveilla et, avec lui, un garçon intérieur révolté qui m'entraîna dans une série d'accidents et d'incidents aussi déplaisants qu'embarrassants. C'est pendant cette période également que mes rêves reçurent la visite d'un adolescent au comportement pathologique qui essayait constamment de forcer la porte de mon appartement. Au lieu de lui demander ce qu'il désirait, je lui envoyais du gaz lacrymogène et en recevais moi aussi dans les yeux. Bien que le garçon en colère se fût mis sur le pied de guerre pour s'emparer de mon amazone, je m'engageai néanmoins à participer à une excursion pédestre de trente-cinq kilomètres. Le matin de cette expédition, je me levai péniblement à six heures afin d'être sûre d'arriver à temps sur les lieux du départ. Tandis que je roulai vers l'endroit du rendez-vous, j'avais présent à l'esprit le conflit amazone-garçon en colère. J'arrivai bien à l'avance, et le chef de groupe me donna des instructions quant à l'endroit où je devais garer ma voiture et au chemin à emprunter pour me rendre au point de départ. En dépit de ses explications, je me perdis et, lorsque je finis par me retrouver, les excursionnistes étaient partis. J'étais verte de rage! Ne m'étais-je pas montrée héroïque en me levant à une heure impossible, etc., etc.? Je décidai alors de faire la ballade toute seule, mais il m'apparut tout à coup que cette promenade de trente-cinq kilomètres était une entreprise plutôt «amazonienne» pour une personne aussi perturbée que je l'étais à ce moment. Mon garçon rebelle s'était à nouveau immiscé dans ma vie, prenant cette fois l'aspect du fou idiot, commodément associé pour la circonstance à mon incapacité de suivre des instructions détaillées. Je m'inclinai finalement devant les événements et m'assis au soleil, devant un ruisseau, afin d'écrire quelques pages beaucoup plus imaginatives que ce que j'avais écrit jusqu'alors. Ainsi, bien que la figure rebelle du fou eût ruiné les plans de mon ego pour cette journée, elle m'aida néanmoins à créer comme je ne l'avais encore jamais fait jusque-là.

La réaction de l'amazone à un père négatif nie, me semble-t-il, le fou car l'aspect «faible» du mâle est quasiment inacceptable pour elle. Elle accorde alors une importance exagérée à l'élément héroïque qui se trouve en elle. Malheureusement, elle perd alors tout son côté positif — spontanéité et caractère aimablement imprévisible —, de même que les maladresses un peu balourdes qui paraissent stupides au commun des mortels mais mettent souvent en évidence des comportements qui prennent alors tout leur sens. Bien que la figure du fou soit généralement ridiculisée par la collectivité dans la vie quotidienne (collectivité au service de laquelle se trouve souvent l'amazone), elle est très appréciée et aimée dans les films. Il suffit de penser à Buster Keaton, Charlie Chaplin ou Peter Sellers. Ils sont non seulement des personnages sympathiques, mais aussi des «héros», même s'ils ne le sont pas dans le sens traditionnel du terme. Comme le fou du jeu de tarot, ils sont primordiaux dans le processus d'individuation car ils ont renoncé aux désirs de réussite de l'ego, ce qui permet aux nouveaux éléments créateurs de faire leur apparition. Quand tous les chemins connus n'ont débouché nulle part, le fou s'empresse d'aller dans une autre direction; ce qui lui est facile car il n'est pas bloqué. Il est ouvert!

Lorsqu'on étudie les contes de fées dans lesquels apparaît la figure du fou, on ne tarde pas à découvrir quelques traits essentiels. Très souvent, par exemple, le fou sait qu'il ne peut accomplir une tâche impossible et, au lieu d'essayer de «faire ses preuves», il se contente de s'asseoir et de pleurer. Il est capable de reconnaître sa faiblesse et sa vulnérabilité et n'en conçoit aucune honte. En général il se dit qu'une aide va lui tomber du ciel et il attend. Il a également bon cœur et partage ce qu'il possède. Les animaux sont ses amis et l'aident parce qu'il est gentil avec eux; et lui vient à son tour à leur rescousse quand il le peut. Le fou est invariablement le plus jeune frère et est méprisé par ses frères aînés. Il se réfugie dans le silence lorsqu'il est attaqué, car il sait attendre. Sa qualité essentielle est peut-être sa réceptivité. Il n'a pas besoin de prendre le contrôle sur qui que ce soit. Le fou court après la plume qui se déplace au gré du vent; il est ouvert et sensible à la nature et aux mouvements de celle-ci. Il est capable d'attendre sans forcer les choses, de s'ouvrir à l'inconnu et aux nouveautés qui apparaissent dans son champ de vision. Le fait qu'il n'ait pas peur d'avoir l'air idiot aux yeux du commun des mortels lui permet de se montrer confiant et d'être réceptif aux événements.

On peut trouver ce fou dans le conte de Grimm intitulé *L'oie d'or* [8]. Appelé Simplet par sa famille, ce personnage est le cadet de trois fils et est moqué, tourné en ridicule et humilié à la moindre occasion. Ses frères aînés sont très futés, très avisés et ne pensent qu'à leurs propres affaires. Ces derniers partent dans la forêt pour ramasser du bois. Ils emportent avec eux des gâteaux au miel que leur mère leur a préparés et du vin afin de calmer leur faim et d'étancher leur soif. Chacun d'eux protège soigneusement ses provisions; lorsqu'ils rencontrent un petit homme aux cheveux gris qui leur demande un peu de nourriture, ils refusent. Mais voilà qu'un des frères se coupe un bras avec sa hache, que l'autre se coupe une jambe, et qu'ils doivent être ramenés à la maison. Simplet demande alors à son père s'il peut aller couper le bois, mais celui-ci lui répond qu'il est trop stupide. Mais il y consent finalement, déclarant que son idiot de fils deviendra peut-être plus sage s'il se blesse. Au lieu de lui donner des gâteaux au miel et du vin, sa mère lui donne des gâteaux à la cendre et de la bière amère. Simplet se met en route pour la forêt, où il rencontre le petit vieux qui lui demande un peu de boisson et de nourriture. Le jeune garçon lui révèle que la nourriture qu'il a reçue n'est pas très bonne mais qu'il est néanmoins prêt à la partager. Ils commencent à manger et les mauvais gâteaux et la bière se transforment en gâteaux au miel et en vin. Le vieil homme dit alors à Simplet que son bon cœur et sa générosité vont continuer à lui porter chance. Et il ne se trompe pas. Lorsque Simplet coupe un arbre, il trouve caché dans ses racines une oie aux plumes d'or. Il emmène le merveilleux volatile avec lui et fait évidemment sensation auprès de tous ceux qu'il rencontre; chacun veut prendre une plume. Mais chaque fois qu'une main veut arracher une plume, elle reste collée à l'oie. Simplet n'y prête aucune attention et continue à marcher avec son oie, traînant un tas de gens à sa suite, tous collés à l'oie. Le groupe arrive dans une ville où règne un roi dont la fille est si sérieuse que personne n'est jamais arrivé à la faire rire. Très inquiet, le roi a décrété que quiconque réussirait à faire naître un sourire sur les lèvres de sa fille l'épouserait et hériterait de son royaume. En entendant cela, Simplet se rend, suivi de son oie et de la petite foule qui l'entoure, auprès du roi et de sa fille. Aussitôt qu'elle aperçoit cette assemblée, la princesse se met à rire, à rire au point de ne plus pouvoir s'arrêter. Alors Simplet demande au roi la main de sa fille, mais celui-ci, qui ne veut pas d'un idiot comme gendre, lui demande d'accomplir plusieurs tâches impossibles: trouver un homme qui soit capable de boire le contenu de tous les tonneaux d'une cave à vin; un autre qui puisse manger une montagne de pain, et finalement, un bateau qui puisse naviguer aussi bien sur la terre que sur l'eau. À chaque épreuve, Simplet se rend dans la forêt pour y retrouver le petit homme qu'il a nourri et celui-ci l'aide à obéir aux désirs du roi. Lorsque les trois épreuves sont accomplies, le roi comprend que Simplet est beaucoup plus puissant qu'il ne le croyait et qu'il ne peut plus lui refuser la main de sa fille. Simplet épouse donc la princesse qu'il a fait rire et devient roi.

L'histoire met en scène une fille prisonnière d'une armure d'amazone: elle est si sérieuse qu'elle est incapable de rire. Le roi, son père, sous-estime tellement Simplet que, même lorsque celui-ci a réussi à faire rire la princesse, il considère encore le pauvre garçon comme indigne de sa fille. Le conte démontre également que seuls les personnages masculins faisant preuve de sens pratique et agissant selon les plans conçus par leur ego sont honorés par leurs parents — le père a confiance en ses fils aînés et la mère leur donne des bons gâteaux et du vin. Mais il démontre aussi que, bien que ces garçons soient avisés et déterminés, leur volonté trop arrêtée de réussir leur cause des blessures et les empêche de s'acquitter de leur mission, en l'occurrence ramener du bois à la maison. C'est ainsi qu'une amazone à l'armure trop épaisse et constamment préoccupée par le besoin d'avoir le contrôle sur ce qui l'entoure finit presque obligatoirement par découvrir qu'elle ne sait pas comment se rendre dans la forêt (symbole de l'inconscient, des profondeurs inconnues de la psyché) pour en ramener le feu qui pourra enflammer sa créativité et sa passion pour la vie. C'est là que la figure méprisée, naïve et soi-disant stupide du fou doit intervenir pour qu'elle soit enfin capable de se rendre dans la forêt pour y trouver son trésor. Le fou peut accomplir ce prodige grâce à sa générosité désintéressée; jamais il n'exige quelque chose en retour. Pourtant — et c'est là que gît le paradoxe —, c'est par le biais de ce désintéressement qu'il peut obtenir l'aide du petit homme de la forêt afin de découvrir le trésor caché dans les racines d'un arbre. Il y trouve l'oie aux plumes d'or qui fascine tous ceux qui la regardent. Bien que l'oie, si l'on se rapporte à l'opinion commune, soit considérée comme un animal stupide, on découvre ici que la stupidité peut être aussi précieuse que l'or. Ce dernier, cependant, ne peut être saisi par le pouvoir de l'ego ou par le besoin de posséder: ceux qui s'en emparent de cette manière risquent fort de rester collés aux plumes de l'oie. N'est-ce pas là une image saisissante? Ceux qui s'acharnent à posséder, à se cramponner aux êtres et aux choses finissent par s'engluer! Ce sont les attitudes calculatrices qui rendent ridicules et non celles du fou, toutes de naïveté et de candeur. En fait, lorsque le fou est en action, il continue son petit bonhomme de chemin sans se préoccuper de ceux qui sont restés collés à l'oie. On voit bien ici que, malgré son apparence stupide, le fou possède vraiment des dons de magicien. Il a très bien vu que tous ces gens étaient englués, mais cela ne l'empêche pas de continuer. Il y a donc également en lui un aspect caché qui fait qu'il n'essaie pas d'aider ceux qui sont en mauvaise posture. Mais c'est parfois cet aspect-là qui se révèle indispensable pour briser une situation par trop rigide. Lorsque je vois le fou qui continue à marcher en traînant tous ces gens à sa suite, je découvre en lui le garçon en colère. Ces deux figures unissent leurs efforts pour transformer une féminité guindée, sévère et figée en féminité juvénile et rieuse. Une femme enfermée dans l'armure de l'amazone est généralement trop sérieuse pour rire. Mais si elle arrive à se laisser aller et à reconnaître l'importance de la sottise de l'oie, si elle parvient à rire des attitudes de possession et de contrôle qui la gardent engluée dans son armure, alors cette dernière craquera de toutes parts et le mariage avec le fou sera possible.

La force de l'influence négative du père conduisant à la formation de l'amazone est démontrée dans le conte par le fait que, même après que le fou a réussi à faire rire la princesse, le père lui refuse sa fille et invente des épreuves impossibles à accomplir dans le but de s'en débarrasser. La nature de chaque épreuve est significative dans la mesure où elle entraîne un excès et/ou la nécessité d'aller au-delà des limites raisonnables, par exemple boire le contenu de tous les tonneaux d'une cave à vin, manger une montagne de pain, etc. Aller au-delà des limites est justement au-delà des possibilités d'une amazone qui vit sous la férule de sa volonté d'exercer un contrôle sur toutes ses actions. C'est la raison pour laquelle le principe paternel personnifié par le roi finit, au bout du compte, par être d'un certain secours. Bien qu'il sous-estime le fou, il exige néanmoins qu'il accomplisse des épreuves qui ne sont que la caricature de vieilles identifications aux héros — épreuves qui libèrent le côté étriqué et limité au profit du côté juvénile, insouciant et amusant. Le fou est capable d'accomplir ces tâches grâce au vieil homme de la forêt, figure masculine intérieure âgée et pleine de sagesse. Nous assistons ici à l'intégration psychologique du vieil homme et du jeune garçon, intégration qui leur permet d'agir ensemble dans le monde, consciemment et efficacement, s'opposant ainsi à l'explosion furieuse et révoltée de l'aspect juvénile réprimé dans l'inconscient qui survient en réaction à une structure trop rigide de l'ego. Grâce à cette collaboration entre le vieil homme et le plus jeune fils, le vieux schéma dominant peut être remplacé par un schéma tout neuf, et le fou peut alors devenir roi.

Le lien étroit qui unit l'amazone, le garçon en colère et le fou est bien illustré par le cas suivant. Il s'agit d'une jeune Suisse qui était venue me consulter il y a quelques années. Elle provenait d'un foyer dont le père, souffrant et affaibli par une maladie respiratoire, dominait néanmoins sa famille et avait adopté envers celle-ci une attitude autoritaire et patriarcale dévaluant le féminin. *Kirche, Kinder, Küche* (Église, Enfants, Cuisine); la place de la femme était à la maison. Cette vision étriquée et la manière dont elle avait été traitée firent de cette jeune femme une personne démunie, doutant d'elle-même, se sentant piégée et enfermée dans son «rôle de femme». Sa mère était soumise à son mari; elle avait adopté sa conception patriarcale de la féminité, conception que la culture suisse approuvait. Les femmes suisses, à cette époque, n'avaient même pas le droit de vote!* Lorsqu'elle arriva à l'adolescence, son père exigea qu'elle quitte l'école et entre en apprentissage pour devenir maîtresse de maison. Elle fut obligée de se conformer au schéma de soumission en vigueur dans sa famille. Coupée de la possibilité d'étudier, elle devint acharnée au travail. C'est à cette époque qu'elle commença à entretenir des relations avec des étudiants, qu'elle prenait financièrement en charge. Mais elle était contrariée de devoir agir de la sorte et regrettait d'en être arrivée à adopter ce rôle qu'on lui avait inculqué sans tenir compte de sa vraie nature. Ce rôle lui paraissant insignifiant,

---

* Au moment où paraît ce livre, dans le petit village de Appenzell Inner-Rhoden, en Suisse, les femmes n'ont toujours pas le droit de vote. *(N.D.T.)*

elle niait son côté féminin. Son comportement alternait entre les attitudes de la martyre et de la militante de l'amazone et celles de la marginale et de la fille aérienne de l'éternelle adolescente. Mais elle n'en continuait pas moins à entretenir ses petits amis et à négliger son développement personnel. Le schéma était toujours le même: elle prenait un homme en charge pendant une certaine période puis il la quittait pour une autre fille, bien entendu une étudiante de l'université. Après plusieurs expériences malheureuses, elle commença une analyse.

Sous le vernis de sa *persona* compétente, efficace, joyeuse et responsable se cachait une fille vulnérable pleine de colère et de ressentiment. Son «garçon en colère» avait émergé assez tôt, au cours de la puberté, la poussant à marauder dans le verger familial, ce qui avait évidemment provoqué le courroux de son père autoritaire. Celui-ci l'avait sévèrement punie. Ensuite, la colère de cette femme se dirigea contre la police et le gouvernement suisse. Pendant cette période, elle participa à plusieurs manifestations et fut un jour sérieusement atteinte par des gaz lacrymogènes. C'est l'impuissance et l'humiliation qui résultèrent de cette brûlure qui lui furent les plus préjudiciables. Mais la plus grande partie de sa colère, cependant, était dirigée contre sa personne et se manifestait par une image d'elle-même très dévaluée qui l'empêchait de développer ses potentialités. Au lieu de se consacrer à son développement personnel, elle continuait à travailler comme une bête de somme, entretenant ses petits amis qui, délivrés de tout souci matériel, pouvaient s'occuper de leur propre épanouissement. Mais elle s'indignait secrètement de leur conduite et leur en voulait, tout en continuant à travailler dur et à ignorer ses propres besoins. Au cours de l'analyse, elle put mettre au jour cette colère et commença à développer un des talents artistiques qu'elle possédait.

L'armure de cette amazone recouvrait la honte qu'elle avait de sa féminité et l'obligeait à fouler aux pieds les demandes et les besoins de son corps. Il lui arrivait également d'énoncer une théorie selon laquelle il n'existait, d'après elle, aucune différence entre hommes et femmes. Et elle mettait son corps à rude épreuve, ignorant les changements physiologiques et psychologiques accompagnant ses menstruations.

Dans sa détermination stoïque, elle se forçait à travailler encore plus dur pendant ces périodes. Ce comportement était un peu grotesque dans la mesure où les bénéfices de son travail revenaient à ses petits amis et non à elle-même, qui aurait pu s'en servir pour son développement personnel.

Le motif du fou trompant la vigilance de l'amazone apparut dans le rêve suivant: la jeune femme traversait un pont au centre de la ville de Zurich lorsqu'elle réalisa soudainement qu'elle avait un tampon hygiénique dans la bouche. Embarrassée, elle l'en sortit et le jeta, par-dessus son épaule droite, dans le fleuve. C'est alors qu'elle entendit des éclats de rire provenant d'une foule de gens alignés le long des rives, pour la plupart des étudiantes de l'université. Ces filles riaient en la montrant du doigt, puis montraient également quelque chose dans la rivière. Lorsqu'elle se pencha pour regarder de quoi il s'agissait, elle vit que le tampon avait gonflé démesurément et atteint une taille gigantesque. Incapable de supporter l'humiliation qu'elle ressentait, elle essaya de s'enfuir et s'éveilla tandis que les rires fusaient encore.

Le rêve avait mis l'accent sur un élément essentiel: il démontrait à cette personne que ses théories à propos des femmes ne correspondaient pas à ses besoins physiques et émotionnels. Le fait que le tampon ne fût pas à sa place, c'est-à-dire qu'il se trouvât dans sa bouche et non dans son vagin, laissait entendre que les besoins de sa nature féminine n'étaient pas satisfaits. En jetant le tampon derrière elle, elle jetait symboliquement par-dessus bord ses besoins de femme et ne voulait même plus en entendre parler. Mais même les femmes qu'elle admirait dans la vie et auxquelles elle aspirait à ressembler (les étudiantes) se gaussaient de son déni. Quant à la taille que prend le tampon dans son rêve, elle démontre que ce même déni ne fait que rendre le problème plus énorme. Bien que son ambition fût d'être l'égale des hommes et totalement indépendante sur le plan des émotions, elle était en fait très dépendante des étudiants avec lesquels elle vivait, attentive à satisfaire leurs besoins plutôt que les siens. Elle avait critiqué les idées de ses parents sur le rôle de la femme et voilà qu'elle concrétisait ce modèle dans sa vie en entretenant ses petits amis au mépris de son développement personnel. Elle en voulait à la Suisse tout entière pour sa conception du rôle de la femme; sa colère était justifiée, mais elle était figée dans la rébellion et était inefficace. La jeune femme jouait le rôle du fou dans son rêve, et la présence de ce fou était nécessaire pour lui permettre d'y voir clair. Peu après ce rêve, elle en fit d'autres dans lesquels elle était enceinte et avait un bébé. Ce qui lui donna le vif désir d'avoir un enfant. Mais ses idées sur les femmes ne lui permettaient pas de se laisser aller à cette aspiration. Elle finit par rompre le carcan martyre-marginale dans lequel elle était prise, épousa un homme plus sensible à ses besoins, eut un bébé et se mit à développer ses dons artistiques.

Le fou apporte à la femme prisonnière de l'armure de l'amazone une attitude réceptive, une disponibilité qui lui permet de goûter aux choses simples de l'existence et de se laisser porter par le flot vital. Un poème *haïku* écrit par Issa dit ceci:

Le printemps s'éveille à nouveau…
Aujourd'hui, dans ma seconde enfance,
Folie, Folie aussi.[9]

3. L'HOMME DE CŒUR

Lorsque le vieil homme pervers et le garçon en colère ont été repérés et affrontés et que les aspects du guerrier et du fou sont en mesure de se manifester, une nouvelle image masculine émerge souvent et spontanément dans les rêves et dans l'imagination de la femme. Une telle figure apparaît souvent dans les rêves comme un intrus, un étranger qui entre dans la maison de la femme. Alors que j'affrontais une figure de ce genre par le biais de mon travail d'écriture, j'eus trois rêves successifs dans lesquels figurait un intrus. Chacun de ces rêves était également relié à la nature. L'un des étrangers apportait un chat et un chien avec lui, un autre m'emmenait prendre un bain dans un limpide lac de montagne, et le troisième décorait une pièce de ma maison de tapis tissés à la main et remplis d'oiseaux et de fleurs aux couleurs chatoyantes ramenés de ses voyages. Ces hommes de rêve me donnèrent chaud au cœur et me remplirent de sentiments affectueux. Ils aimaient ma féminité et exprimaient cet amour par des présents. J'avais enfin une figure masculine intérieure qui m'aimait en tant que femme. Je n'étais plus tenue d'être la fille douce et innocente ou la superfemme ultracompétente. Et le masculin en moi n'était plus réduit au fils et au père. Je possédais enfin un homme intérieur aimant.

J'aimerais, pour terminer ce chapitre, partager avec vous mon fantasme de «l'homme de cœur», car il représente la figure masculine intérieure positive que procure une saine relation avec le père. Cet homme est aimant, chaleureux et fort. Il n'a pas peur de la colère, ni de l'intimité, ni de l'amour. Il peut voir, au-delà de la séduction, certaines fausses apparences provenant des défenses, ce qui constitue l'essentiel de la femme. Il la soutient avec patience. Mais il la provoque, l'affronte et va toujours de l'avant. Il est stable et solide. Mais cette stabilité lui vient de ce qu'il sait se laisser porter par le flot vital et par le plaisir de l'instant. Il joue, travaille et profite de l'existence en respectant ces deux manières de vivre. Il se sent bien où qu'il soit — en lui-même comme dans le monde. C'est un homme de la terre, instinctif et séduisant. C'est un homme de l'esprit, aux idées élevées, et créateur. Il aime la nature, les oiseaux, les fleurs, les forêts et les montagnes herbues, les fleuves et la mer. Il aime les enfants et l'enfant intérieur. Et il apprécie les saisons. Il se réjouit de l'éclatement du printemps, se repose et flâne en été, mûrit dans les derniers reflets colorés de l'automne et s'enfonce dans le silence ouaté de l'hiver pour s'ouvrir à nouveau à la renaissance du printemps. Il aime la beauté, l'art, les mots et la musique. Peut-être chante-t-il ou joue-t-il du basson ou du violon. Il danse au rythme de la vie. Il est l'ami de l'âme, l'ami intérieur et l'amant qui accompagne une femme dans ce voyage et cette aventure qu'est la vie.

II

LA SOUFFRANCE

Tu es debout devant le tableau noir, Daddy,
Sur la photo que j'ai de toi,
Une fente au menton au lieu du pied fourchu
Mais diable cependant oui,
Tout comme l'homme noir

Qui fendit mon joli cœur en deux.
J'avais dix ans le jour de ton enterrement.
À vingt ans j'ai voulu mourir
Pour retourner, retourner vers toi.
Je croyais que les os me suffiraient.

Mais l'on m'a arrachée du sac,
Et recollé mes morceaux.
Et puis j'ai compris ce que je devais faire.
J'ai fabriqué une copie de toi,
Un homme en noir au regard de Meinkampf

Avec une passion pour la roue et pour le chevalet.
Et j'ai dit Oui, oui, oui.
Eh bien Daddy enfin c'est terminé.
Le téléphone noir est décroché par la racine,
Les voix ne peuvent plus en sortir en rampant.

J'ai tué un homme et j'en ai tué deux —
Le vampire qui disait être toi
Et qui a bu mon sang un an durant,
Sept ans même si tu veux le savoir.
Daddy tu peux te reposer maintenant.

Tu as un poteau dans ton gros cœur noir.
Les villageois ne t'ont jamais aimé.
Ils dansent et te piétinent car
Ils savaient bien que c'était toi.
Daddy, salaud, Daddy, c'est fini.

Sylvia Plath,
extrait de *Daddy*.
(Éditions des femmes, Paris, 1978)

CHAPITRE SIX

LA RAGE

Dites aux hommes honnêtes
du monde
qu'ils devront moissonner
votre haine mûrie
et creuser le champ de votre fureur
avant de pouvoir regarder votre visage

Cecil Bødker.

La rage peut libérer la femme blessée. Pourtant, bien que le cœur de leur blessure soit une brûlure qui mord et qui ronge, beaucoup de femmes refoulent cette douleur et la colère qui l'accompagne. C'est alors que la colère se tourne vers l'intérieur et se traduit par des symptômes physiques ou par des pensées dépressives et suicidaires qui paralysent leurs activités et leur créativité. D'autres femmes laissent éclater leur rage, mais celle-ci écrase ceux qui leur sont proches. Dans leur souffrance, elles font souffrir les autres. Peu importe dans quelle direction se répand leur colère; celle-ci est dispersée, informe et explosive. Mais elle est également porteuse d'une puissante énergie qui, bien utilisée, peut libérer leurs potentialités. La rage peut alors devenir une force vitale qui va permettre la réhabilitation du père et la transformation du féminin.

Le rêve suivant montre de façon dramatique toute la force de la rage qu'un grand nombre de femmes doivent affronter au plus profond d'elles-mêmes; il montre aussi que la structure du masculin intérieur menace d'être détruite si celui-ci est divisé entre des opposés qui n'ont aucun rapport l'un avec l'autre.

> Je pars avec un ami pour une promenade à cheval. Nous trouvons nos montures près d'une étrange écurie. Ma jument rousse est sellée et bridée, mais elle est seule et détachée. Lorsque j'arrive auprès d'elle, elle veut s'enfuir. Elle piétine les rênes et prend le mors aux dents. En proie à la panique, elle devient enragée et se cabre. Elle s'est transformée en géante, moitié homme, moitié animal, et je constate qu'elle est devenue folle. Elle attrape une fille qui passe et la dépiaute comme une saucisse. La fille meurt. Dans sa rage aveugle, la jument se précipite sur moi. Je me tourne vers mon ami pour l'appeler à l'aide, mais il est si horrifié et si impuissant qu'il se met à vomir. J'appelle le palefrenier, mais il m'ignore délibérément. Je m'éveille, glacée de peur, tandis que la jument enragée galope vers moi.

La force et la puissance de la rage sont indubitablement présentes dans cette image de la jument rousse psychotique, moitié homme, moitié animal. Le rêve montre clairement deux modes de réaction masculine inadéquate: la figure brutalement indifférente du palefrenier et celle de l'ami sensible mais impuissant. On n'y trouve pas de figure masculine salvatrice. La seule autre figure, mis à part celle de la rêveuse, est une jeune fille sans défense et sans substance. Elle n'a pas de *centre* réel et peut donc être dépiautée, comme une femme dépourvue de force intérieure authentique peut s'effondrer lorsqu'elle subit une attaque directe. La rêveuse doit lutter de front contre la jument enragée, qui symbolise la passion et la rage débridée de son père lorsqu'il perdait tout contrôle sur lui-même. Mais l'animal fou représente aussi sa propre rage et sa passion. Quant au palefrenier, il symbolise bien sûr le côté brutalement indifférent de son père, tandis que l'ami impuissant et sensible représente son côté faible et démuni. Ils sont tous deux des facettes d'elle-même qui s'étaient révélées inefficaces chaque fois qu'elle avait dû négocier avec son énergie frénétique intérieure. À l'époque du rêve, le palefrenier brutalement indifférent existait sous la forme d'un juge intérieur perfectionniste qui, après avoir pris le contrôle sur elle, venait tout juste de lâcher les rênes. La vieille adaptation de l'ego commençait à avoir des ratés. L'ami sensible et impressionnable était une figure intérieure encore informe, pas assez solide en tout cas pour lui venir en aide. L'énergie était puissamment présente en elle, mais elle n'était ni maîtrisée ni dirigée (c'est le pourquoi des rênes détachées et de l'état dangereusement frénétique du cheval dans le rêve). Du fait que cette femme avait vu son père si souvent en proie à des rages folles, incapable de se contrôler et de s'acquitter de ses devoirs et de ses responsabilités, elle avait terriblement peur de cette facette d'elle-même; peur d'avoir une dépression nerveuse, de devenir folle. Elle souffrait en outre de terribles crises d'anxiété. Lorsqu'elle était enfant, ne disposant d'aucun moyen pour se protéger contre son père lorsqu'il perdait son sang-froid, elle avait recours à un système de défense rigide qui la protégeait de la puissance des sentiments violents qui l'habitaient. Tout cela avait fait d'elle une fille aimable, sans défense et sans substance, dotée d'une *persona* à la peau mince qui ne pouvait lutter contre le stress et pouvait être aisément dépiautée. Lorsque le palefrenier brutal et indifférent lâche les rênes qui permettent de tenir la jument, la fille sans substance est vouée à la destruction. Une force nouvelle doit se dégager de cette énergie frénétique. La rêveuse doit l'affronter consciemment et de front. Elle doit permettre à son côté passionné et fougueux d'exister, en assumer la responsabilité et apprendre à le contrôler.

La jument rousse enragée symbolise l'énergie sauvage et débridée et la rêveuse est en proie à la peur. Cette peur de la colère est commune à un grand nombre de femmes. Lorsque le père s'est laissé dévorer par la rage, la fille hérite de cette rage non évacuée. Elle a peut-être été témoin des crises de colère de cet homme et en a été terrifiée. Parfois, la rage du père a été refoulée grâce à une attitude passive ou peureuse, ou d'une manière rigide et contrôlée. Dans un cas comme dans l'autre, l'attitude qu'il convient d'adopter devant la colère n'existait pas en tant que modèle. Ni le refoulement de la rage ni les explosions débridées ne peuvent utiliser efficacement les forces vives de l'énergie. Le père qui se laisse posséder par la colère trahit le père archétype dans la mesure où l'ordre, la stabilité et la relation confiante avec le monde qu'il doit normalement procurer à sa fille sont perturbés. La relation de la femme à la sexualité et aux forces créatrices de l'inconscient sont alors menacées elles aussi. L'«autre», l'«inconnu», devient souvent plus redoutable que fascinant. Et toute l'énergie créatrice libérée par la sexualité et le mystère de l'inconnu devient suspecte, quand elle n'est pas tout simplement paralysée. En outre, si une femme a eu un père dont la colère était pathologique, elle soupçonne souvent sa propre colère de l'être également. Pour éviter d'être confrontée à cette force puissante et peut-être pathologique, elle cache alors cette colère.

La rage peut être dissimulée de plusieurs manières. Par les dépendances, par exemple. On peut certes extérioriser sa colère quand on est ivre, mais celle-ci n'est alors ni consciente ni accompagnée de l'acceptation nécessaire. La boulimie est un autre moyen de «s'imposer lourdement aux autres». La rage est souvent enfouie à l'intérieur du corps. Beaucoup de femmes sont hypocondriaques, ou souffrent vraiment de maladies ou de faiblesses physiques qui cachent en fait une énergie réprimée. Les maux de tête, de dos, les ulcères, la colite, les problèmes stomacaux disparaissent souvent lorsque la colère est acceptée. La dépression, qui semble dévorer toute l'énergie de la personne qui en est atteinte, semble également être un excellent subterfuge pour la rage. Les crises d'anxiété, qui laissent tremblant d'impuissance, recouvrent souvent une colère rentrée. Quant aux idées suicidaires, elles cachent une rage meurtrière retournée contre soi-même et, lorsqu'elles se présentent sous forme de chantage émotionnel, travestissent la rage que l'on ressent envers les autres. Un grand nombre de femmes cachent leur colère sous une attitude de séduction et/ou de rejet. D'autres provoquent la colère chez ceux qui leur sont proches, les laissant ainsi exprimer leur colère à leur place. L'attitude cynique et amère qui consiste, pour certaines femmes, à «traiter les hommes comme ils le méritent», est une façon de se venger de la dépendance dans laquelle ces derniers les tiennent. Ceci entraîne souvent de séances de magasinage inutiles et des dépenses excessives qui dévorent temps et énergie. Des sentiments de culpabilité exacerbés cachent aussi une rage contenue; ils ne sont en fait qu'une bonne manière de se fustiger soi-même. Un autre moyen fréquemment utilisé consiste à évacuer sa colère par le biais d'une attitude intellectuelle de «Je sais tout» qui intimide l'entourage, ou par des critiques acerbes qui ne sont en fait que des prétextes, mais qui laissent néanmoins celui qui en est victime totalement désarmé. Le martyre, l'ascétisme, une éthique de travail puritaine, la fierté du devoir accompli et des responsabilités assumées peuvent aussi cacher la colère, ainsi que l'effronterie, la suffisance et une attitude arrogante où l'on semble déclarer aux autres: «Je suis comme je suis, un point c'est tout!», alors que l'on craint surtout de montrer sa vulnérabilité.

La *puella* a tendance à avoir peur de la colère ardente qu'elle doit utiliser pour s'affirmer. Elle fait de telles concessions pour apaiser l'autre et s'adapter, dissimulant sa rage sous une *persona* charmante, que celle-ci se manifeste alors sous l'une des formes mentionnées plus haut. Elle se sent alors dupée et coupée d'elle-même. En abandonnant son énergie aux autres, elle finit par avoir l'impression d'être diminuée; elle perd son *centre* de vue et se sent faible et sans défense. La rage peut aussi être refoulée sous l'armure de l'amazone qui, bien qu'elle semble solide vue de l'extérieur, crée sous l'effet de cette rage un mur entre elle-même et les autres. Le pouvoir positif de la colère est ainsi perdu car l'armure constitue un obstacle. Dans les deux cas, la rage doit être reconnue et libérée avant d'être transformée en élément positif.

Il arrive souvent, lorsque la rage s'est accumulée à la suite d'une relation négative avec le père, que celle-ci reste présente dans la relation avec le partenaire. L'exemple suivant montre qu'il est souvent ardu de faire face à une simple colère. Lors de la dernière fête de la Saint-Valentin, trois femmes en analyse vécurent une expérience similaire: toutes trois furent négligées par leur amant. Elles en furent blessées et furieuses. L'une d'elles se soûla et tança vertement son amant. La seconde contint sa colère et tomba dans une profonde déprime et un désarroi total. La troisième eut une crise de nerfs. Aucun de ces moyens d'exprimer leur colère ne se révéla très utile; aucun ne leur permit de toucher leur amant. Ces femmes se montrèrent incapables de canaliser leur rage de manière efficace et consciente parce que celle qu'elles avaient conçue dans leur enfance n'avait pas été liquidée et qu'elles n'avaient pas eu de modèle adéquat pour leur apprendre à négocier avec cette rage. En raison de cette colère infantile non intégrée, elles ne pouvaient affronter leur colère présente. Lorsque la colère n'est pas intégrée consciemment, il en résulte souvent une crise inconsciente avec le partenaire, au cours de laquelle on l'attaque et le critique sans pitié, ôtant ainsi à l'amour toute possibilité de se développer.

Derrière la rage se cachent souvent les larmes, comme le montre le cas de ces trois femmes. Sous la colère se dissimulent la vulnérabilité et les possibilités de tendresse et d'intimité. Mais le regret et l'abandon vécus à cause de la colère paternelle font que ces larmes et cette tendresse sont souvent enfouies, tout comme la rage d'ailleurs. Il faut donc, pour que se manifestent cette tendresse et cette possibilité d'établir une relation intime et profonde, que la femme apprenne à se situer par rapport à sa colère. Il arrive souvent que des femmes s'ouvrent à une relation sexuelle plus accomplie lorsqu'elles expriment leur colère à leur amant; celle-ci permet en effet des rapports amoureux plus pleins, tant sur le plan physique que sur le plan émotionnel.

Il arrive que la mère soit responsable de cette rage. Dans ce cas-là, il est probable que le père a eu peur de sa propre colère et a refusé d'affronter celle de sa femme. Le père de Renée l'avait ainsi sacrifiée en se montrant trop gentil et trop accommodant. Il ne tenait pas tête à son épouse lorsqu'elle se mettait en colère, ni à ses tendances autodestructrices. Il aimait sa fille, mais cela rendait sa femme encore plus jalouse. Comme son père, Renée s'efforçait de plaire à tout le monde; cela devint sa manière d'être. Mais quoi qu'elle fît, elle ne satisfaisait jamais sa mère et avait très peur de sa colère. Lorsqu'elle devint adolescente, elle eut en plus à souffrir de l'alcoolisme de sa mère, qui se montrait de plus en plus hostile envers elle. Après plusieurs tentatives de suicide, cette femme sombra finalement dans la dépression. À cette époque, le père n'apportait pas grand-chose à la famille et n'imposait aucune limite à la conduite de sa femme. Il était incapable de dire: «Non, je n'admettrai pas que tu te conduises de la sorte.»

Renée faisait face à cette situation en cherchant des figures maternelles de substitut en dehors de sa famille et en se montrant très souple, accommodante et responsable. Mais sous ces dehors avenants, elle avait secrètement peur de devenir comme sa mère. Sa *persona* aimable et son charme firent leur office jusqu'à ce que, dans la trentaine, elle épouse un homme qui, bien qu'étant plus âgé qu'elle, était un éternel adolescent. Leur relation fut très agréable et sans conflits, mais elle manquait de profondeur et, finalement, les deux partenaires devinrent indifférents l'un à l'autre. Elle eut alors une liaison avec un homme doté d'un grand esprit pratique et qui la critiquait lorsqu'elle se laissait déborder, arrivait en retard à ses rendez-vous ou commettait des bévues. Cette relation fut le cadre de plusieurs escarmouches. Bien qu'elle aimât profondément cet homme, Renée ne pouvait accepter sa colère — pas plus que la sienne propre d'ailleurs —, et c'est ce qui l'amena en analyse. Le modèle auquel elle s'était conformée si souvent, à savoir faire plaisir, fut totalement inefficace dans cette relation, et elle réalisa qu'elle aurait dû apprendre à se défendre. Mais cela l'effrayait secrètement, car elle avait peur de devenir comme sa mère.

Son père ne lui avait pas appris à canaliser son agressivité. Elle n'avait eu comme modèle que la rage hystérique de sa mère qui n'avait cessé de tyranniser la famille tout entière. C'est à cette époque qu'elle eut un rêve dans lequel son père et elle étaient gardés en captivité par des soldats médiévaux féroces qui les avaient jetés dans un fossé, d'où ils pouvaient voir la bataille horrible et sanglante qui se déroulait non loin d'eux. Ce rêve symbolisait la rage primitive incontrôlable de sa mère et l'impuissance dans laquelle son père et elle se trouvaient face à cette rage.

Lorsqu'elle était confrontée à sa propre colère, elle tombait dans une profonde dépression. Et étant donné que sa confiance en elle-même était mitigée, elle se blâmait souvent lorsqu'elle se bagarrait. Elle commença alors à compenser ses frustrations en devenant de plus en plus responsable et perfectionniste, que ce soit dans sa relation amoureuse ou dans son travail. Elle avait tendance à poursuivre des buts impossibles et prenait tellement d'engagements à propos d'un tas de choses qu'il lui était impossible de tenir toutes ses obligations. Le résultat fut qu'elle devint anxieuse et terriblement nerveuse, effrayée à l'idée de s'effondrer. Tout cela était doublé de la peur sous-jacente de devenir comme sa mère et de tomber dans une dépression nerveuse qui l'empêcherait de travailler et de vivre normalement. Il m'apparut que son anxiété, résultant de sa tendance à vouloir faire plaisir et à se laisser déborder pour éviter la colère, dissimulait la rage enfouie avec laquelle elle n'avait jamais appris à négocier. N'ayant connu que les accès d'hystérie de sa mère et l'impuissance de son père, elle n'avait pas acquis de modèle de contrôle. Elle souffrait également d'un manque de confiance généralisé, doutait de sa valeur et avait, en conséquence, peur de s'affirmer. Il était nécessaire que cette femme apprenne l'importance de la colère qu'elle craignait tellement. Il fallait également qu'elle s'impose des limites et qu'elle en impose aux autres, qu'elle se dise: «Non, je ne peux pas faire cela.» Mais pour établir ces limites, il fallait d'abord qu'elle s'accorde de la valeur.

L'image suivante était présente dans l'un de ses rêves: Une reine russe élégamment vêtue était assise avec majesté dans un carrosse tiré par quatre magnifiques chevaux caracolant. Cette reine était une femme qui savait ce qu'elle voulait et ne craignait pas de s'affirmer et d'exiger que ses droits soient respectés. Elle tenait fermement les rênes et contrôlait l'énergie des chevaux afin de se rendre là où elle voulait aller. Au début de ce rêve, Renée avait dû affronter un énorme gorille qui la suivait, et cet affrontement avait été nécessaire avant qu'il lui soit permis de voir la reine. D'un point de vue symbolique, cela signifiait qu'affronter la force de son agressivité, représentée par la puissance du gorille, était nécessaire afin d'entrer en contact avec le pouvoir fier et royal qu'elle possédait à l'intérieur d'elle-même.

Cette femme était également coupée de son pouvoir de se livrer à la rage — son pouvoir de Kali. Kali est la déesse hindoue de la création et de la destruction. Sa rage peut détruire, mais elle peut aussi créer. Elle peut procurer le feu nécessaire à la transformation. Le pouvoir de Kali symbolise le pouvoir dont beaucoup de femmes ont besoin pour se développer — c'est-à-dire s'affirmer, poser leurs propres limites, dire non lorsque cela s'impose[1].

La rage peut aussi libérer la spiritualité. Il est même parfois nécessaire de se mettre en colère contre Dieu ou contre les forces tragiques du destin lorsqu'on veut élever sa conscience à un niveau plus élevé. Jung nous dit qu'en donnant libre cours, après des années de souffrances patientes, à sa fureur contre l'injustice divine, Job a élevé non seulement la conscience de toute l'humanité mais également celle de Dieu[2]. En ce qui me concerne, je crois que la rage portée à cette extrémité reconnaît autant la vulnérabilité que la faiblesse, la puissance que la force, unissant paradoxalement ces opposés et permettant ainsi le passage d'un certain niveau d'existence et de conscience à un niveau plus élevé. Mes terribles explosions de colère contre l'héritage destructeur venant de mon père m'insufflaient la force d'agir afin de changer ce karma négatif, pour autant que cela fût possible évidemment. Et elles me rapprochaient de mon père, pour lequel je ressentais une plus grande compassion, eu égard au combat mortel auquel il avait fini par succomber.

Comment une femme blessée peut-elle se connecter à une rage si puissante au lieu de se sentir terrifiée et menacée par elle? Et comment peut-elle transformer cette rage en énergie créatrice? Selon moi, cela peut se faire en deux temps: le premier consiste à laisser sortir cette rage contenue; le second, à transformer la puissance qu'elle renferme en énergie créatrice. Le conte intitulé *Le prince crapaud* montre ce qui peut arriver lorsque la rage éclate. Et le mythe de Psyché et Amour propose un moyen d'accomplir la transformation.

Bien souvent la femme blessée craint le feu et l'énergie qui font rage à l'intérieur d'elle-même. On peut établir ici une analogie avec la technique utilisée pour venir à bout d'un incendie de forêt. Les pompiers allument un feu autour de la zone qui flambe afin d'empêcher le brasier de s'étendre. On combat le feu par le feu. De la même manière, laisser éclater sa rage dans une sorte d'explosion peut l'empêcher de prendre des proportions excessives. Car cette rage peut être un acte d'affirmation qui s'impose de lui-même ses limites. C'est comme si on déclarait: «Ça suffit comme ça. J'en ai assez!» Cet affrontement de la colère par la colère est illustré par les frères Grimm dans leur version du conte *Le prince crapaud* [3].

La balle dorée appartenant à une princesse tombe dans un puits. La princesse demande alors à un crapaud de l'aider à la récupérer. Celui-ci accepte à condition qu'elle lui donne à manger, prenne soin de lui et lui permette de dormir dans son lit. La princesse promet mais, aussitôt en possession de sa balle dorée, oublie son serment. Un soir, tandis qu'elle est à table avec son père, on entend un croassement sonore derrière la porte de la salle à manger. Le roi demande ce que signifie ce cri. Sa fille lui ayant raconté l'histoire, il lui déclare qu'elle doit tenir sa promesse. Bien que la princesse éprouve de la répulsion pour le crapaud, elle l'emmène néanmoins dans sa chambre et lui donne à manger. Mais le prendre dans son lit lui paraissant trop pénible, elle le laisse sur le sol. Lorsque le crapaud réclame son dû, soit l'accomplissement complet du serment, elle se met en colère et le jette furieusement contre un mur, ce qui a pour conséquence de le transformer en prince, ce qu'il était avant d'avoir été ensorcelé.

La rage est ici la réponse appropriée. C'est elle qui libère le prince de sa forme dénaturée. Elle constitue un moyen particulièrement efficace pour la *puella* qui doit affronter la colère. En ayant recours elle-même à la colère, elle découvre la puissance de sa force et de son pouvoir, qu'elle abandonnait jusque-là aux autres. Elle défie également l'autorité patriarcale. Jeter le crapaud contre le mur équivaut à jeter les projections qui ne correspondent pas à la réalité, par exemple jeter cette projection négative voulant que les femmes soient passives et sans défense. Un des pièges dans lequel tombe souvent la *puella* consiste à accepter les projections d'impuissance que l'on fait sur elle. C'est alors que le pouvoir qu'elle possède effectivement — pouvoir de sa sensibilité et de son instinct féminins — dégénère et se retourne contre elle. Elle est furieuse de perdre ce pouvoir, mais en même temps, elle a peur de le montrer. Alors, pour éviter d'affronter les autres et elle-même, elle dissimule sa colère. Mais quand celle-ci est enfouie, son pouvoir effectif se perd.

Dans *Le prince crapaud*, la princesse prend la responsabilité de sa colère en jetant le crapaud contre le mur. En obéissant à son sentiment de répulsion et en désobéissant aux ordres de son père, elle rend hommage à sa sensibilité et à son instinct féminins et leur fait confiance. Lors de sa première rencontre avec le crapaud, elle n'était qu'une petite fille sans défense qui avait laissé échapper sa balle dorée, tout comme ces femmes qui perdent accès au *centre* dur de leur nature féminine. Et, comme une petite fille, elle avait fait une promesse qu'elle était incapable de tenir. Les femmes n'échangent-elles pas souvent leur indépendance contre la sécurité et le bien-être matériels? On trouve le même schéma dans *Le nain jaune*, dans lequel la princesse, se sentant démunie devant les lions furieux qui s'approchent, promet sa main au nain jaune pervers afin qu'il lui sauve la vie. Mais étant donné qu'elle n'affronte jamais directement les lions et le nain, elle est condamnée à se détruire par le biais des sentiments d'impuissance et de pitié qu'elle éprouve envers elle-même. Dans *Le prince crapaud*, il y a métamorphose car la princesse prend finalement la responsabilité de ses sentiments féminins et les impose. Lorsque, dans un geste de colère, elle sauve le crapaud de la malédiction qui l'accable en le jetant contre le mur, il devient son amant. C'est ainsi qu'une relation intime accomplie peut résulter d'une rage exprimée.

Les femmes d'aujourd'hui doivent non seulement exprimer leur colère dans leur vie privée, mais également sur le plan culturel. Un grand nombre d'entre elles sont furieuses parce que leurs valeurs féminines ont été rabaissées. Elles doivent s'affirmer vigoureusement en raison de leur expérience féminine, et ceci peut provoquer quelques explosions de rage. Quelques crapauds culturels (projections et préjugés) doivent être jetés contre le mur. Mais il importe que cette rage, en plus d'être énergique, soit également centrée sur un but bien précis et articulée avec lui. Cette conscience que les femmes peuvent acquérir de leur énergie et de la manière dont il convient de l'utiliser peut les empêcher de faire l'une ou l'autre de ces vieilles promesses fallacieuses qui font d'elles des êtres sans défense. En apprenant à se situer par rapport à leur colère, elles peuvent également atteindre un niveau de conscience plus élevé et mieux voir ainsi cette rage culturelle non résolue qui, au pire, conduit aux guerres et aux persécutions.

Le mythe de Psyché et Amour propose un moyen d'avoir accès à la colère et à la transformation qui peut en résulter. Dans ce mythe, Psyché a perdu Éros, son amant, et tente de le retrouver en accomplissant les tâches que lui impose Aphrodite, la mère jalouse d'Éros. Ces tâches lui paraissant impossibles, Psyché tombe dans le désespoir. L'une d'elles consiste à subtiliser la toison d'or gardée par des béliers sauvages. Convaincue que cette épreuve est insurmontable, Psyché, désespérée, se jette dans la rivière pour s'y noyer. C'est alors qu'elle entend une voix mélodieuse qui lui révèle qu'il existe un moyen de s'emparer de la toison des béliers sauvages. La voix mélodieuse est celle d'un roseau vert, candide et aimable, qui dit:

> Psyché, bien que tu sois accablée de nombreux malheurs, ne pollue pas mes eaux sacrées en te donnant ici une mort misérable, et ne t'approche pas non plus, en cette heure, de ces terribles béliers. Car du soleil ardent ils empruntent la chaleur torride qui les rend fous, déments, et avec leurs cornes pointues, leurs fronts de pierre et leurs morsures venimeuses ils sèment alors la destruction parmi les hommes en déchargeant sur eux leur folle rage. Mais jusqu'à ce que la chaleur intense du soleil de midi soit amoindrie et que les bêtes se soient endormies, bercées par la brise douce de la rivière, tu peux te cacher là-bas sous le haut platane qui, tout comme moi, s'abreuve à la rivière. Et lorsque la folie et la colère des béliers seront apaisées, tu iras là-bas secouer les feuilles de ce bocage, où tu trouveras la toison d'or accrochée à une petite branche.[4]

Ici, le secret consiste à ne pas s'approcher directement des béliers sauvages, car leur rage est féroce, aveugle et meurtrière. Le seul moyen d'accéder à toute cette énergie est d'attendre patiemment et de s'approcher avec prudence. La puissance furieuse des béliers signifierait, pour Psyché, mort et destruction. Il arrive parfois qu'en raison des blessures profondes qui marquent une femme, la rage de celle-ci soit si explosive qu'elle fasse voler toutes ses relations en éclats. Comme les béliers enragés, cette rage «charge» tous ceux qui se trouvent sur son chemin. Une telle colère s'enracine souvent dans le sentiment d'avoir été abandonnée, trahie et rejetée qui peut provenir de la relation avec le père et qui ne cesse de se manifester dans les relations courantes. La rage se mêle à des sentiments de jalousie et à des désirs de vengeance qui sont assez forts pour tuer n'importe quelle relation, ainsi que l'amour que la femme doit avoir pour elle-même. On trouve un exemple extrême de cette rage dans la tragédie grecque. Médée, trahie par son amant Jason, tue ses propres enfants pour se venger. Beaucoup de femmes détruisent leurs relations par de continuelles explosions de colère hystérique, par des menaces ou par des tentatives de suicide. Psyché, possédée par cette agressivité mortelle, la retourne finalement contre elle-même et veut se suicider.

En attendant avec patience le moment propice pour s'emparer de la toison d'or des béliers, Psyché évite d'être détruite par leur énergie furieuse et accède à son énergie créatrice sans risquer d'être anéantie dans le processus. Pour donner forme à l'énergie furieuse et débridée, il est nécessaire d'y accéder par son côté non destructeur afin de ne pas être dévorée par elle. Ce processus demande patience et connaissance, c'est-à-dire qu'il faut attendre le bon moment et le reconnaître quand il se présente. Lorsqu'on se laisse envahir par la rage et que celle-ci éclate au mauvais moment, l'énergie qu'elle contient est gaspillée et produit souvent un effet contraire à l'effet escompté. Le partenaire ou l'entourage ne voient là qu'un comportement hystérique et non ce qu'il cache. Savoir ce que dissimule la colère est pourtant essentiel. Mais cela nécessite une différenciation consciente entre la colère vécue et les divers éléments qui la composent. Il faut apprendre à dissocier ce qui provient de la colère non résolue du père de ce qui appartient à la femme et à la situation. La première tâche que Psyché avait eu à accomplir consistait à trier des semences rassemblées en un énorme tas, si énorme que cela lui paraissait impossible. Heureusement, une fourmi ouvrière qui passait par là l'avait aidée. Le tri des différents éléments qui constituent la rage représente parfois un travail colossal qui réclame énormément de patience et de détermination. Mettre à part l'élément qui dans la colère nous appartient vraiment, le différenciant ainsi de ce qui est dû à un tiers ou à la rage non résolue du père ou même au contexte culturel, est un labeur exténuant. Mais s'il est négligé, on se retrouve souvent dans la position infernale des Danaïdes de la Grèce antique.

Les Danaïdes étaient les cinquante filles d'un homme qui avait accepté à contrecœur de leur laisser épouser leurs cinquante cousins. Mais il leur avait offert une épée à chacune afin que, la nuit de leurs noces, elles puissent tuer leur époux. Quarante-neuf filles utilisèrent leur épée pour assassiner leur mari et furent condamnées à l'enfer où on les obligea à remplir d'eau un tonneau sans fond. Ce dernier ne pouvant être rempli, la tâche était impossible à accomplir et insensée. La cinquantième fille, prise de sympathie pour son mari, l'aida à s'enfuir et ne fut par conséquent pas condamnée. La femme qui vit la rage non résolue du père pourrait être comparée à ces Danaïdes qui reçoivent de l'auteur de leurs jours la permission d'épouser leurs soupirants, puis, les ayant tués pour assouvir la colère paternelle, sont en fin de compte condamnées à une existence infernale et futile. Sur le plan personnel, cela peut se produire lorsque la femme, possédée par une colère non résolue provenant de sa relation avec son père, la retourne contre elle par le biais du suicide ou d'un comportement autodestructeur, ôtant ainsi à la relation qu'elle entretient avec son partenaire toute possibilité d'accomplissement. Sur le plan culturel, la colère patriarcale non résolue contre le féminin peut être reproduite par les femmes qui n'ont pas trouvé le moyen de mettre leur féminité en valeur. Dans ce dernier cas, en imitant les hommes ou en s'adaptant au masculin, elles finissent par être incapables de donner forme à cette féminité.

Une partie de cette formation consiste à devenir capable de contenir ce qui doit être formé. C'est en fait la troisième tâche de Psyché, mais c'est aussi celle que les Danaïdes se montrèrent incapables d'accomplir. La troisième épreuve de Psyché, après qu'elle se fut emparée de la toison d'or des béliers, était de remplir une urne de cristal avec les eaux d'une source nourrissant les rivières du monde souterrain. La source jaillissait du sommet le plus élevé d'une montagne rocheuse et était gardée par des dragons, dont les voix disaient à Psyché de prendre garde, lui affirmant qu'elle ne pourrait jamais s'acquitter de sa tâche. Mais un aigle fier envoyé par Zeus prit l'urne en cristal et, s'élevant comme une flèche dans le ciel, s'en fut la remplir directement à la source. Contenir cette eau provenant d'une source vive qui unit le plus haut (le sommet de la montagne) au plus bas (le monde souterrain) symbolise la capacité de recevoir le flot d'énergie vitale unissant le conscient et l'inconscient et de lui donner une forme. Il faut pour cela être capable de monter en flèche dans le ciel, de montrer son énergie créatrice au monde sans se laisser impressionner par les voix qui disent: «Prends garde, tu n'y arriveras pas.» Contenir l'énergie et lui donner forme signifie que l'on ne se dissipe pas dans une rage informe, qu'on l'affirme, au contraire, de façon créative. Cela peut se traduire par une action politique, une œuvre d'art, l'éducation d'un enfant, une relation réussie. Et, plus que tout, par une certaine qualité de vie.

Le poème suivant, intitulé *Apothéose*, exprime bien la transformation de la rage.

> Aucune douleur
> aucun sentiment de souffrance
> mais franchir la crête
> dans un frémissement
> avec la certitude
> que tout ceci
> n'est rien
> que la vieille rage
> déjà épuisée
> s'est transformée
> en puissance et en amour[5]

En fin de compte, la transformation de la rage donne naissance à une femme forte qui, par son énergie créatrice et sa sagesse féminine, peut contribuer à son propre épanouissement, à celui des autres et à celui de la culture. L'acceptation et la transformation de la colère libèrent et révèlent l'esprit féminin et sa puissance, qui vont guérir la femme blessée et, finalement, la blessure consécutive à la relation père-fille.

CHAPITRE SEPT

LES LARMES

Il est un palais qui n'ouvre que pour les
larmes.

Zohar.

Les larmes sont le lot de la femme blessée. Elles peuvent se figer et se transformer en glaçons coupants et acérés comme des poignards. Ou jaillir comme un torrent qui inonde tout ce qui l'entoure. Mais les larmes peuvent aussi couler comme ces pluies fécondes qui font pousser les plantes et président au renouveau.

Lorsque les larmes sont pareilles à des glaçons coupants, elles figent la femme et ses relations avec les autres. Comme le regard de la Méduse, ces larmes glacées peuvent transformer un homme en pierre, et le cœur de la femme pareillement. Ces larmes-là ne sont pas rédemptrices car elles figent l'âme dans un ressentiment amer.

Les larmes torrentielles, quant à elles, coulent autour de la femme, inondant le sol qui l'entoure. Dans cette terre humide, elle peut s'enfoncer et devenir incapable de se mouvoir et de rester debout. Les larmes torrentielles noient la femme dans un marécage de tristesse qui peut se transformer en apitoiement sur elle-même et inonder son âme.

Bien que les larmes figées et les larmes torrentielles ne soient pas toujours rédemptrices, elles déchirent l'âme et lui permettent ainsi de s'ouvrir. Comme la colère, les larmes libèrent la femme et font partie du processus de sa guérison. Elles lui permettent de vivre avec sa blessure.

Une relation blessée avec le père bloque souvent les larmes de la fille. Certains pères, par peur de leurs propres larmes, ne permettent ni à leur fille ni à leur femme de pleurer. Le père vendant les larmes de sa fille est un thème récurrent dans les rêves de la femme blessée. Pour le père, vendre les larmes de sa fille consiste à entretenir une *persona* charmante et à encourager son enfant à être joyeuse et optimiste. Les pleurs sont alors considérés comme une marque de faiblesse et d'échec. D'autres pères arrivent à supprimer les larmes de leur fille en mettant l'accent sur le travail et la discipline. Quant à ceux qui se noient dans l'alcool et dans les larmes, ils finissent tout simplement par donner à leur fille la peur de pleurer.

Le rêve d'une de mes patientes constitue un bon exemple du pouvoir des larmes.

Je devais remplacer une musicienne lors d'un concert. Il fallait que j'accompagne une amie à la guitare et que je chante. Je ne connaissais pas les paroles des chansons mais je me sentais tout à fait capable d'improviser. Un petit homme s'est approché de moi alors que je me préparais à entrer en scène. Son visage était totalement dépourvu d'expression et allait le rester pendant toute la durée de mon rêve. Il essayait sans cesse de me faire boire du vin rouge parce que, si je m'éclaboussais, je tomberais en son pouvoir. Je bus du vin blanc et du Perrier, me disant que je pourrais ainsi lui échapper. Puis mon fils arrivait, et l'homme déclarait que si celui-ci se coupait et saignait, il serait lui aussi en son pouvoir. Je disais à mon fils d'être prudent, mais l'homme se transformait en chaton. Au début, je demandai à mon fils de ne pas toucher le petit animal, mais ensuite je me faisais la réflexion que ce n'était qu'un gentil petit chat. Mon fils jouait avec lui et le chaton le griffait. Puis l'animal s'est transformé, il est redevenu le petit homme du début et a déclaré: «Votre fils m'appartient!» Je me suis mise en colère et, lorsque mon mari est arrivé, je lui ai demandé: «Ce n'est pas vrai, n'est-ce pas?» Mais mon mari était convaincu que l'homme avait gagné. Peu de temps après, je me suis réveillée en pleurant. Le mauvais sort jeté sur mon fils était conjuré. Les larmes l'avaient conjuré.

Ce rêve faisait partie de ce que l'on pourrait appeler les rêves de la série «Chemin de l'eau» dans lesquels l'eau jouait un rôle rédempteur à l'égard de cette femme. Dans l'un d'eux, elle était poursuivie par un livreur de sel qui, selon elle, symbolisait ses larmes contenues et sa tendance à se laisser submerger par son côté masculin très exigeant. Son père avait quitté la maison lorsqu'elle avait dix ans. Il n'avait jamais écrit ni envoyé de présents, bien qu'elle lui écrivît à Noël et à l'occasion de son anniversaire. En fait, il l'avait ignorée et elle essayait malgré tout de lui trouver des excuses. Lorsqu'elle devint adolescente, elle se révolta et opta pour un comportement marginal et délinquant. Elle prenait de la drogue et, un jour où elle faisait de l'auto-stop, elle avait été agressée et presque tuée par le chauffeur d'une voiture. Comme elle était robuste et n'avait pas froid aux yeux, elle s'était aisément transformée en bagarreuse. Elle était également intuitive et, comme elle s'exprimait remarquablement bien, n'hésitait pas à dire aux gens ce qu'elle pensait d'eux et à leur donner des conseils. Bien qu'elle eût souvent raison, elle se montrait généralement blessante: ayant perdu tout contact avec sa propre vulnérabilité, elle exprimait ses convictions sans délicatesse et mal à propos. Elle était souvent critiquée. Son entourage, la croyant forte et coriace, était persuadé qu'elle était capable de supporter n'importe quelle attaque. Lorsque les gens la traitaient de la sorte, elle leur en voulait mais ne pouvait exprimer adéquatement sa souffrance et ses besoins.

Au fond d'elle-même, elle était tyrannisée par un homme intérieur qui attendait d'elle une perfection continuelle, une détermination constante et ne lui permettait pas de souffler. Les exigences de cet homme intérieur étaient excessives, si exténuantes qu'elle était incapable d'exercer ses talents, préoccupée qu'elle était par son désir d'être à la hauteur de ses idéaux surhumains. Son père avait été exigeant et perfectionniste: rien n'était assez bien pour lui, rien ne le satisfaisait suffisamment pour lui donner envie de revenir à la maison. Et voici qu'elle aussi était possédée par le même désir exigeant de perfection, symbolisé dans son rêve par l'homme diabolique et sans expression qui voulait la tenir en son pouvoir. Le moyen de conjurer ce mauvais sort était les larmes. Cela signifiait qu'elle devait permettre à ses sentiments d'être et de s'exprimer plutôt que de les dissimuler sous une carapace épaisse et dure. Cela signifiait aussi qu'elle devait devenir plus souple avec les autres et à son égard — autant pour modérer ses exigences envers elle-même que pour satisfaire ses besoins physiques féminins. Cela voulait également dire qu'elle devait accepter ses blessures et le pouvoir du démon. En s'éclaboussant de vin rouge, elle reconnaissait son imperfection et son humiliation. Même si elle évitait cela dans son rêve, elle ne pouvait faire en sorte que son fils ne saigne pas. Il fallait qu'elle reconnaisse la blessure sanglante et le pouvoir que l'homme du rêve avait sur elle avant de pouvoir conjurer le mauvais sort qu'il lui avait jeté. Et ses larmes étaient une reconnaissance concrète de sa blessure.

Lors d'une thérapie, la première percée vers la guérison vient lorsque la femme arrive à lâcher prise et à pleurer, donnant ainsi libre cours à sa vulnérabilité et n'ayant plus peur de montrer ses blessures. Les femmes ont souvent honte de pleurer; elles ressentent cela comme une humiliation. Et pourtant les pleurs finissent souvent par être salutaires, car ils aident à briser les défenses et à accepter les blessures — les blessures qui ne guériront que lorsqu'elles seront acceptées et intégrées. Ainsi qu'une femme le disait: «Pleurer sans savoir pourquoi m'a procuré un immense soulagement. Avant, je me disais qu'il fallait toujours avoir une excuse ou une explication. Être capable de pleurer, lors d'une thérapie, devant une personne bienveillante, m'a permis de reconnaître entièrement mon chagrin, de voir toute l'ampleur de ma blessure.»

Une autre femme rêva qu'elle était au volant de sa voiture, prise dans une pluie torrentielle qui menaçait d'inonder son auto et de l'empêcher d'avancer. Pourtant, lorsqu'elle regardait le ciel orageux, elle y voyait briller une lumière translucide. L'orage de ses sentiments incontrôlables lui cachait la lumière qui lui permettrait d'avoir une nouvelle vision de l'existence. Cette femme avait été une fille soumise et dévouée à sa famille. Elle avait dû prendre soin de sa mère infirme. La pauvre femme criait souvent de douleur et sa fille tentait de la réconforter. Le père était presque sourd et s'était détourné de sa femme et de sa fille. Il ne voulait entendre ni les cris de la première ni les pleurs de la seconde. Quant à la grand-mère, c'était une femme sévère, un juge moralisateur qui n'accordait aucune valeur aux sentiments. La fille n'avait donc reçu, des trois adultes de la famille, ni soins attentifs ni affection. Les sentiments qu'elle éprouvait ne pouvaient être exprimés et appréciés. Elle était devenue une sorte de gouvernante et sa vie d'enfant avait été consacrée aux autres. Elle entra ensuite dans un couvent où elle resta pendant vingt ans. Bien qu'elle y ait développé ses aspects spirituel et intellectuel, sa vie émotionnelle et sexuelle avait été niée. Lorsqu'elle quitta le couvent, elle se mit désespérément en quête d'un homme avec lequel établir une relation intime. Mais son modèle étant d'aider les autres et d'essayer de leur plaire pour gagner leur affection, elle se sentait blessée et exploitée lorsqu'ils ne répondaient pas à ses attentes physiques et émotionnelles. Toutes ces années à pleurer sur une enfance sans vie, sur ses frustrations émotionnelles et sur son manque d'intimité physique avec un homme devaient être évacuées. Il fallait qu'elle accepte et revive la tempête de tristesse de sa vie d'enfant avant de pouvoir se transformer. Elle devait d'abord apprendre à exprimer sa douleur. Comme le révélait le rêve, ces sentiments tempétueux étaient sa lumière, son guide.

L'image de la pluie en tant qu'élément rédempteur symbolisant les larmes transformatrices apparaît dans beaucoup de rêves de femmes. Et elle est également fréquente dans les visions des poètes. Rilke termine sa grande œuvre poétique, *Les élégies de Duino*, sur une image de pluie. Ce texte est une plainte sur l'existence. «Qui, si je criais, qui donc entendrait mon cri parmi les hiérarchies des Anges?[...] Il me faut donc ainsi me retenir et ravaler en moi l'obscur sanglot.[1]» Tout au long des dix élégies, Rilke donne vie aux blessures qui sont le lot de tout être humain: l'aliénation, la détresse, le désespoir ressentis par ceux qui sont blessés, hommes et femmes, lorsqu'ils font l'expérience de l'éphémère, de la peur, de leur nature divisée, de leur incapacité d'atteindre la perfection et d'obtenir ce qu'ils désirent, des parodies de la justice et de la guerre dans l'histoire ou dans *leur* histoire, et de leur mort imminente. Rilke était lui-même désespéré lorsqu'il commença à écrire *Les élégies de Duino*. Dix années lui furent nécessaires pour mener à bien ce cycle poétique et, pendant ces dix années, il lui arriva souvent de se laisser aller à la colère ou de pleurer. Mais il eut finalement la révélation du sens de toute la souffrance ressentie. Lorsqu'il émergea enfin de cette affliction, il comprit que la douleur fait partie de notre croissance, de notre accomplissement, que c'est une saison et un lieu nécessaires à notre développement. Rilke découvrit que la source du chagrin et celle de la joie sont le même «courant qui emporte», comme la vie et la mort sont les deux forces du même royaume. Ainsi, bien que nous ayons tendance à considérer la souffrance, la dépression et les autres moments pénibles de notre existence comme des épisodes qu'il faut à tout prix éviter et que nous associions le bonheur au succès et aux moments exaltants, ils sont, en fin de compte, indissociables. La pluie est un symbole de ce cycle de croissance. Rilke, dans un grand mouvement d'espoir et d'affirmation, termine ainsi *Les élégies de Duino*:

> Mais s'ils devaient en nous, les morts infiniment, susciter un symbole,
> regarde: ils nous désigneraient peut-être les chatons
> suspendus au noisetier vide, ou ils évoqueraient
> la pluie qui vient tomber sur le royaume sombre de la terre,
> au printemps.
>
> Et nous, avec le bonheur
> qui dans notre pensée est une *ascension*
> nous aurions l'émotion, voisine de l'effroi, qui nous saisit
> lorsque *tombe* une chose heureuse.[2]

La rédemption par les larmes survient dans un conte de Grimm intitulé *La fille sans mains*[3]. Ce conte dépeint également la blessure du père. Un pauvre meunier sans travail rencontre, dans la forêt, un homme qui lui promet une richesse illimitée s'il lui donne tout ce qui se trouve derrière son moulin. Se disant qu'il n'y a, derrière son moulin, qu'un simple pommier, le meunier accepte la proposition. Mais à ce moment-là sa fille s'y trouve justement. Il va donc falloir qu'il la donne à l'homme, qui en fait est le diable. C'est ce que font souvent les pères blessés. Le meunier avait accepté le marché car il était persuadé qu'il ne possédait rien qui ait de la valeur; il s'était dit qu'il n'aurait à faire aucun vrai sacrifice. Mais il avait oublié qu'il avait une fille et que cette fille avait, elle, de la valeur. En oubliant cela, il avait sous-estimé sa fille et s'était sous-estimé lui-même en tant que père.

La fille, en apprenant cette transaction, veut se laver pour rester hors d'atteinte du diable. Ce dernier a en effet exigé qu'elle se tienne loin de l'eau, car celle-ci lui ôterait tout pouvoir sur elle. Le père obéit au diable, mais la fille pleure et les larmes tombent sur ses mains. Le diable, qui ne peut s'emparer de quelqu'un qui a pleuré, ordonne au père de couper les mains de sa fille et de la lui amener le jour suivant. S'il désobéit, c'est sa propre vie qu'il devra donner en échange. Craignant pour sa vie, le père coupe les mains de sa fille. Mais elle se met à pleurer de nouveau et ses larmes tombent sur ses bras. Ce qui empêche une fois de plus le diable de s'emparer de la pauvre fille qui n'a plus de mains. Le père essaie alors d'obtenir le pardon de sa fille en lui déclarant qu'ils peuvent vivre à l'abri du besoin grâce à leur nouvelle fortune. Mais la fille a compris les raisons de la conduite de son père et refuse de rester avec lui. Elle part seule dans la forêt.

Nous avons là une fille qui voit la faiblesse de son père et réalise qu'elle doit prendre sa vie en main. Mais le fait qu'elle soit privée de mains signifie qu'elle ne peut se rabattre sur l'intervention active de son ego en guise de compensation. Les larmes la sauvent du diable et la séparent de son père négligent. Elle suit ensuite son propre chemin et, dans la forêt, prie pour obtenir une aide divine et se confie aux forces guérisseuses de la nature. Un ange lui vient en aide et elle mange les fruits d'un arbre appartenant à un roi qui tombe amoureux d'elle, l'épouse et lui fait cadeau de mains d'argent. Mais les époux sont séparés par la guerre, où le roi doit aller combattre. C'est alors que le diable fait parvenir un faux message du roi à la jeune femme, dans lequel il lui est demandé de quitter son château avec son fils nouveau-né appelé *Schmerzenreich* (riche en chagrins). La jeune femme se perd et prie à nouveau pour demander de l'aide. Un ange lui offre une maison dans la forêt où elle va vivre pendant sept ans. C'est au cours de cette période que ses mains repoussent. Pendant ce temps, le roi, qui est rentré de la guerre, la cherche partout. Après une longue attente faite de patience et d'une souffrance acceptée de part et d'autre, ils seront à nouveau réunis.

Ce conte me fut personnellement bénéfique à l'époque où je commençais à me rendre compte de ce que symbolisait mon armure d'amazone et du danger qu'elle représentait. Je réalisai que toutes les tentatives de mon ego en vue d'une réussite hors du commun, d'une prise de contrôle tant sur mon existence que sur celle des autres et d'une compensation pour les faiblesses de mon père n'étaient en fin de compte pas importantes. Privée soudainement de mes mains, il me fallait attendre dans la forêt de ma solitude et de ma dépression, pour y apprendre à être patiente et à avoir confiance. Mes larmes ne cessaient de couler à cette époque. Parfois, je retournais à mon ressentiment amer à propos de mon enfance ratée, de la trahison de mon père et de celles de la plupart de mes amants, et mes larmes se transformaient alors en glaçons acérés. À d'autres moments, mes larmes m'inondaient et je m'y noyais. Mais c'est néanmoins grâce à elles que vinrent les larmes plus douces qui me permirent de donner libre cours à mes sentiments instinctifs — sentiments qui avaient été si longtemps refoulés et ignorés. Tandis que ces larmes amollissaient mon armure et ouvraient mon cœur, je commençai à sentir le pouvoir guérisseur de la nature. Je parvins, de plus en plus souvent, à exprimer ma vulnérabilité et je cessai graduellement de justifier mes actes par les moyens traditionnels. Plus je dévoilais spontanément et ouvertement mes sentiments, plus mon anxiété et mes défenses de contrôle diminuaient, et plus les autres s'ouvraient à moi. Je découvrais que mes souffrances et ma blessure ouverte étaient mes liens les plus importants avec les autres. Ce n'était pas dans des réalisations extraordinaires que je trouverais ma rédemption, c'était en acceptant les forces guérisseuses de la nature et en apprenant à attendre et à m'ouvrir à ce qui jaillissait des profondeurs de moi-même. Mener les choses à bien ne me fut pas facile. Mais tandis que mes larmes coulaient sans cesse —

elles coulaient encore alors que j'écrivais les dernières pages
de ce livre —, mes mains commencèrent à repousser. Et finalement, les mots que j'écrivais et mes paroles se mirent à
jaillir du *centre* de moi-même.

D'une certaine manière, tout cela donne un sens à l'échec
de Psyché dans l'accomplissement de sa quatrième épreuve,
lorsque après avoir mené à bien ses tâches précédentes, elle
succombe à la tentation de boire la potion défendue qui va la
rendre plus belle et qui en réalité ne fait que la plonger dans
l'impuissance et dans l'inconscience. Psyché avait accompli
toutes ses tâches pour avoir la permission de voir Éros, son
amant. Neumann explique qu'en buvant la potion défendue
Psyché reconnaît le pouvoir du masculin chez Éros, et qu'en
préférant la beauté à la connaissance elle réunit le féminin à
sa nature profonde[4]. Beaucoup de femmes, à notre époque,
sont offensées par cette idée que le féminin est d'abord et
avant tout beauté. L'interprétation de Neumann, selon moi,
fait écho à la scission entre la *puella* et l'amazone en réduisant le féminin à ce qui est beau. Lorsque j'envisage l'«échec»
de Psyché comme une étape de sa transformation, je la vois
qui se rend aux pouvoirs plus grands de la psyché, qui vont
lui donner accès à sa fragilité et à ses limites humaines. Cette
reconnaissance est nécessaire à tous les êtres humains — pas
seulement aux femmes — bien que sa valeur soit souvent
révélée en premier lieu par le féminin.

De la même manière, les larmes enrichissantes sont
souvent interprétées comme un signe d'échec. Mais elles
nourrissent pourtant le sol où va pousser un nouvel être et
protègent contre l'envie obsessionnelle de se jeter dans une
activité revancharde et infernale ou dans une passivité
impuissante. L'attente active et l'acceptation de la souffrance
que les larmes apportent à la «fille sans mains» sauvent celle-
ci de la passivité de la *puella* et de la rigidité de l'amazone;
elles lui permettent d'être activement réceptive à la foi, à
l'espoir et à la confiance qui mènent à la guérison. Ce sont des
larmes de transformation. La femme blessée est d'abord
emplie de souffrance et de colère contre la blessure. Ensuite,
avec l'acceptation de cette blessure viennent les larmes de
transformation et la guérison qui vont lui ouvrir les portes de
l'amour et de la compassion.

III

LA GUÉRISON

Vienne le jour enfin, sortant de la voyance encolérée,
où je chante la gloire et la jubilation aux Anges qui l'agréent.
Que des marteaux du cœur au battement très clair
aucun ne vienne à faux tomber sur une corde molle, ou encore
    douteuse
ou prête à se briser. Que mon visage tout baigné
me fasse plus resplendissant: que l'anonyme larme enfin
s'épanouisse. Et comme alors, ô nuits, vous me deviendrez
    chères,
nuits d'affliction! Que ne me suis-je agenouillé, ô sœurs incon-
    solées,
profondément pour mieux recevoir; que ne me suis-je aban-
    donné
défait moi-même en vos cheveux défaits! Nous, tellement
    prodigues
de douleurs, comme nos yeux vont loin dans la triste durée,
    quêtant
leur fin possible. Alors qu'elles sont, au contraire, vraiment
    notre végétation d'hiver, notre pervenche obscure,
un temps, *une* saison de la secrète année, — *et plus encore*
que la saison — le lieu, la place, le campement, le sol et la
    demeure.

Rainer Maria Rilke,
Les élégies de Duino.

CHAPITRE HUIT

LES FACETTES FÉMININES

Quotidiennement, heure après heure, nous devons garder le cristal clair afin que ses couleurs remplissent leur office. Je prie pour avoir la force d'accomplir ma tâche; ne t'éloigne pas de moi à présent sous prétexte de sauver mon âme. Je dois vivre pour que la clarté produise l'ordre de la diversité. Il faut pour cela tout supporter, car il s'agit de la création d'un changement de conscience.

Florida Scott-Maxwell.

Après avoir décrit le style de vie de l'éternelle adolescente et celui de l'amazone, je me suis rendu compte que j'avais adopté l'un et l'autre à différentes époques de ma vie, et que ces modes d'existence avaient un aspect constructif aussi bien que des côtés contraignants. Il m'apparut également qu'ils étaient, d'une certaine manière, complémentaires.

L'image qui me vient à l'esprit est un cristal. Un cristal a plusieurs facettes et, lorsqu'on le fait tourner au soleil, il produit des irisations incomparables. C'est ce qui se passe avec une femme. En tournant le cristal de son moi, elle

peut avoir accès, au bon moment, à la qualité qu'elle
recherche.

La «petite poupée chérie», par exemple, possède la force
qui lui permet d'accepter les dons qu'on lui fait. Un grand
nombre de femmes n'ont pas accès à une vie riche sur le plan
émotionnel parce qu'elles ont peur de prendre ce qu'on leur
offre. La petite poupée chérie peut donner en recevant; elle
peut s'adapter à son partenaire, s'en accommoder, ce qui va
permettre au dialogue de s'établir dans le cadre de leur relation. Et elle peut également s'adapter au collectif, ce qui va lui
permettre de devenir utile à la société. Mais si elle se coupe
de son identité propre en s'adaptant aux attentes des autres,
elle souffrira d'une perte de contact avec son moi.

La force de la fille de verre est différente. Elle consiste en
un rapport sensible avec le monde intérieur et avec le règne
de la fantaisie et de l'imagination. Bien qu'elle ait parfois peur
du monde extérieur, la fille de verre, dans son monde intérieur, est aussi aventureuse que n'importe quel héros. Ses
capacités peuvent encourager aussi bien la créativité des
autres que la sienne propre, à condition bien sûr qu'elle ne
s'abandonne pas à sa tendance à se retrancher de la vie
active.

La quête d'aventure et le goût du défi de la fille aérienne
constituent une force qui peut mener au changement et à
l'exploration de nouvelles possibilités. Cette femme possède
l'audace nécessaire pour se risquer dans de nouveaux
domaines, pour s'aventurer dans l'inconnu. Si elle ne se
disperse pas, elle peut devenir un modèle pour celles qui
veulent explorer et transformer notre société.

Quant à la force de la marginale, elle réside dans sa capacité de remettre en question les valeurs collectives établies.
Étant donné qu'elle a tendance à concrétiser ce qui est
sombre et caché, autrement dit l'aspect non accepté de la
société, elle est en contact avec les qualités qui sont nécessaires — bien que refusées par notre culture — à la lutte. Si
elle arrive à triompher de sa tendance à jouer les victimes et à
se tenir à l'écart de ses semblables, elle peut devenir une des
forces principales dans la transformation de la société.

Chaque style de vie de la *puella* est une contribution
spéciale à la femme tout entière; de la même manière, chaque

mode d'existence de l'amazone possède ses qualités particulières permettant de renforcer son développement. La superstar, avec son sens de la discipline et son don pour le succès, prouve au monde la force et la compétence féminines. Lorsque ses capacités proviennent de son *centre* plutôt que de son ego et de ses défenses, elle peut profiter des fruits de son travail et de sa créativité, et la société est rehaussée par ses contributions.

L'endurance de la fille obéissante, son sens des responsabilités, sa persévérance devant les difficultés sont des qualités essentielles à sa stabilité, que ce soit dans la vie quotidienne, au travail ou dans ses relations. Son rapport positif à l'obéissance et son sens de la justice et de l'ordre lui permettent de s'acquitter adéquatement de ses tâches et de ses responsabilités dans quelque société, organisation ou relation que ce soit. Lorsque le sens du devoir et de l'obéissance viennent d'un *centre* stable et ne l'éloignent pas de ses sentiments et de sa spontanéité, elle peut devenir un membre très utile de la société dans laquelle elle vit. Mais lorsqu'elle se coupe de sa propre identité en s'adaptant aux projections des autres, elle souffre d'une perte de contact avec son moi.

Le don et le sacrifice de soi, qui sont des caractéristiques de la martyre, sont essentiels à une vie et à des relations créatives. Lorsqu'on jette un coup d'œil sur l'histoire, on constate que la martyre a souvent été un modèle d'héroïsme féminin (Jeanne d'Arc, par exemple). Mais le sacrifice ne doit pas se faire au détriment du moi. Si la martyre apprend à profiter de la vie et à tenir compte de ses propres besoins, le don qu'elle offre aux autres et les sacrifices qu'elle fait pour eux cesseront de provoquer chez ceux-ci un sentiment de culpabilité; ils deviendront alors source d'inspiration.

La reine guerrière est en contact avec sa colère et son pouvoir d'affirmation. Elle sait comment se battre pour sa survie et est capable de prendre soin d'elle-même. Cette capacité est nécessaire à tout être humain, bien sûr, et elle l'est plus encore à la femme contemporaine. L'aliénation de la reine guerrière survient lorsqu'elle fait fi de ses sentiments féminins et de sa douceur et que son combat tourne à l'attaque à main armée. Lorsque la reine guerrière arrive à *se centrer* et à s'affirmer au bon moment, elle peut devenir un exemple de la manière dont les femmes doivent développer leur force et leur pouvoir féminins dans leur vie quotidienne et dans notre culture.

Chacun de ces modes d'existence a quelque chose à offrir aux autres. Gloria, qui avait été «une petite poupée chérie», apprit à utiliser le pouvoir d'affirmation de la reine guerrière afin de résister aux exigences de son entourage et adopta l'esprit aventureux de la fille aérienne afin d'explorer de nouveaux domaines. La force de s'insurger contre les idées reçues et les préjugés de la marginale lui permit de se libérer des standards dont elle était l'esclave. La fille de verre lui apprit à avoir un meilleur contact avec son moi intime et la superstar l'encouragea à montrer ses capacités à son entourage.

Grace était une fille de verre. Il fallait qu'elle apprenne à voler très haut et à imposer ses valeurs intérieures, comme le font la fille aérienne et la superstar. Elle ferait ainsi à la société le don de la fantaisie qui la caractérisait et lui offrirait ses richesses intérieures. Lorsqu'elle accepta d'être adorée comme une «petite poupée chérie», elle s'ouvrit à l'amour et à l'admiration qu'elle méritait. La marginale lui apprit à être elle-même sans se préoccuper des jugements de la société. C'est la reine guerrière qui lui insuffla la force de s'affirmer, tandis que la fille obéissante lui donnait l'exemple de l'endurance qui allait lui permettre d'acquérir la stabilité nécessaire pour concrétiser sa fantaisie naturelle. Enfin, la martyre lui procura le sentiment d'autojustification héroïque dont elle avait besoin.

Juanita, la fille aérienne, concrétisa ses intuitions les plus extravagantes et sa relation audacieuse avec les possibilités en combinant le sens des responsabilités de la fille soumise, la force logique et l'équilibre de la reine guerrière et l'esprit de sacrifice de la martyre. Grâce à la fille de verre, elle intensifia sa relation avec son âme féminine. Et, en reconnaissant les qualités de la «petite poupée chérie», elle apprit la valeur des engagements amoureux.

Si l'on en considère les différents aspects, c'est le cheminement de la marginale qui semble le plus difficile. C'est pourtant la rupture de sa relation avec la société qui lui permet de remettre celle-ci en question et de la transformer en s'appuyant sur la force de la reine guerrière, l'endurance de la fille obéissante et l'esprit de sacrifice de la martyre. Jane était une de ces marginales. La «petite poupée chérie» lui montra comment établir des liens plus satisfaisants avec la collectivité, et cette relation nouvelle lui permit de consacrer ses forces au changement de la société. C'est chez la fille aérienne qu'elle apprit à avoir une relation optimiste avec les possibilités, ce qui l'aida à se détacher du pessimisme cynique qui avait fait d'elle sa victime. La fille de verre lui apprit ensuite à donner à son âme les soins délicats qu'elle exigeait, ce qui lui permit de devenir plus tendre avec elle-même et avec les autres.

Patricia, que son rôle de superstar obligeait à se battre constamment pour garder sa place dans la société, avait grand besoin de se retrancher de temps à autre et de se ressourcer dans cet espace intérieur dans lequel la fille de verre se réfugie si naturellement. Il fallait également qu'elle apprenne à recevoir comme la «petite poupée chérie», à défier les exigences de la société comme la marginale et à prendre ses distances comme la fille aérienne aux prises avec les impératifs du succès. En général, les modes de vie des amazones sont plus proches les uns des autres que ceux des *puellas*. C'est la raison pour laquelle la superstar est si souvent capable d'obéir, de se sacrifier et de combattre. Lorsqu'elle accepte le fait que ces qualités sont plus importantes que son besoin de succès, celles-ci peuvent lui insuffler une force plus grande que celle qui provient des ambitions de son ego.

Constance, en fille soumise, était incapable de se laisser aller et de profiter de la vie. En satisfaisant certains de ses fantasmes, comme le fait la fille aérienne, et en se rebellant comme la marginale, elle parvint à neutraliser son obéissance aveugle. Comme la «petite poupée chérie», elle apprit à se laisser adorer pour ses espiègleries plutôt que pour son efficacité. La fille de verre lui montra comment transformer sa soumission aux autres en un engagement plein de sensibilité envers les besoins de sa nature profonde. La fille soumise ayant tendance à se sentir liée à la société, Constance se tourna vers la reine guerrière qui lui insuffla son pouvoir de s'affirmer, ce qui lui permit de contrebalancer son habitude de faire passer les attentes de la société avant les siennes.

Marie, comme toutes les martyres, était portée à nier sa propre valeur. Lorsque la «petite poupée chérie» lui apprit à accepter l'affection qu'on lui témoignait, la fille aérienne à s'amuser et à partir en exploration et la marginale à se rebeller, elle fut capable de secouer les fardeaux qu'elle avait portés jusque-là si stoïquement sur ses épaules. Grâce à la relation de la fille de verre avec ses fantasmes, elle découvrit les plaisirs de la vie intérieure. Étant donné qu'elle avait tendance à nier son agressivité naturelle et à faire en sorte que les autres se sentent coupables envers elle, elle dut apprendre à s'affirmer comme la reine guerrière. La superstar, si douée pour le succès, compensa cette manie qu'avait Marie de décrier ses propres succès et d'en refuser les fruits.

Jackie, un peu figée dans la position agressive et dure de la reine guerrière, dut prendre à la «petite poupée chérie» sa douceur et sa réceptivité afin d'être en mesure d'accueillir l'amour. La sensibilité de la fille de verre l'ouvrit à sa vie intérieure et l'enthousiasme de la fille aérienne neutralisa sa gravité. En empruntant à la marginale son esprit de rébellion contre les valeurs collectives, elle apprit à se battre pour ses propres valeurs. En tant que lutteuse, Jackie avait l'endurance de la fille obéissante et le don pour le succès de la superstar, mais elle avait besoin de les exprimer d'une manière moins agressive. Enfin, elle se tourna vers la martyre — qui sacrifie les besoins de son ego en faveur d'une cause plus valable — et lui emprunta son côté positif, qui consiste à tuer l'ego afin de permettre au moi féminin de se développer.

Établir une relation avec ses différentes facettes féminines fait partie du cheminement de la femme vers son accomplissement. Il s'agit également d'un long voyage vers la guérison. Je me souviens d'une grande excursion dans les Rocheuses avec un ami très cher. Nous nous étions mis en route alors que le soleil était déjà chaud et nous nous étions arrêtés pour admirer les feuilles des trembles qui s'agitaient autour de leurs bourgeons tout neufs. Puis nous avons commencé notre longue marche. Après avoir traversé une étendue boisée semblable à une forêt de lutins, nous sommes arrivés sur une hauteur où nous avons ressenti à la fois de l'émerveillement devant l'immensité du paysage que nous surplombions et une sorte de panique paralysante provoquée par l'altitude. Puis nous avons parcouru des champs de neige et escaladé des rochers pour émerger finalement sur un plateau arrondi où les lacs, les montagnes et le ciel étaient si merveilleusement unis que cette vision nous a emplis d'une sorte de terreur sacrée. Rilke avait certainement ressenti cela lorsqu'il avait écrit: «La beauté n'est que le commencement de la terreur.» Nous avons marché pendant des heures, traversant de grandes étendues et changeant maintes fois d'altitude. C'est lorsque nous sommes arrivés devant un lac magique entouré de montagnes de hauteurs différentes que la tempête s'est déchaînée. Le soleil a disparu, les nuages se sont amoncelés, la grêle s'est mise à tomber et nous avons soudainement eu l'impression que nos vies étaient menacées.

Nous avions marché pendant des heures, escaladé des rochers, traversé des champs de neige pour arriver à cet endroit sacré. Hélas, nous ne pouvions y rester qu'un moment à cause de la tempête. Il fallait que nous fassions demi-tour si nous voulions rentrer sains et saufs. Nous avons rebroussé chemin, nous enfonçant dans les champs de neige, escaladant les rochers, parcourant la toundra, retraversant la forêt de lutins et longeant enfin nos trembles palpitants. À travers la pluie et la grêle, nous sommes enfin arrivés à bon port, épuisés mais certains que nous referions un jour ce périple. Nous savions aussi qu'il serait alors différent.

L'exploration des différentes facettes féminines ressemble, selon moi, au voyage que je viens de décrire. On y trouve quelques pistes faciles et agréables, comme celle bordée de trembles frémissants à la fragile beauté. D'autres nous mènent à travers la forêt enchantée des lutins. D'autres encore exigent des efforts; il faut grimper, marcher prudemment pour ne pas glisser, lutter contre le vertige qui nous prend lorsqu'ils longent des précipices. Pour arriver au lac magique, pour atteindre le cristal, ce cheminement ardu est nécessaire.

L'accomplissement de la femme exige les mêmes efforts, la même détermination. Aucun aspect de sa quête ne peut être laissé au hasard. L'une trouvera l'un des sentiers attirants; l'autre préférera un autre chemin. Mais, en fin de compte, il leur faudra affronter les mêmes obstacles. (Le voyage des hommes vers leur accomplissement est semé des mêmes épreuves; c'est un parcours tout terrain; si j'ai choisi de ne parler que du cheminement féminin, c'est parce que je le connais relativement bien et parce que c'est celui dont on parle le moins.)

L'exploration des différentes facettes féminines est à l'image du cristal. Elle met l'accent sur les joies et les peines qui jalonnent le chemin — la blessure, la souffrance, la guérison, la lutte, la vitalité et l'éternel retour.

Faire tourner le cristal du moi féminin dans la lumière pour permettre à ses différentes facettes de briller ainsi dans leur force plutôt que dans leur faiblesse est le défi auquel est confrontée la femme d'aujourd'hui. Et l'intégration de ces facettes peut devenir le fondement sur lequel s'appuyer pour définir et explorer l'esprit féminin.

CHAPITRE NEUF

LA RÉHABILITATION DU PÈRE

*Si nous voulons que les hommes se tournent
vers leurs qualités féminines intérieures, il est
normal que nous leur donnions d'abord
l'exemple et que nous leur montrions, dans nos
propres vies, ce que signifie le mot «féminité».*

Hilde Binswanger.

«Quels sont les mythes et les contes narrant la quête et le courage féminins? me demandent souvent des femmes. Quels sont les modèles d'épanouissement féminin?» L'un de ces récits, qui m'a aidée dans ma propre quête, est un conte de fées racontant l'histoire d'une fille courageuse qui part à la recherche d'un remède susceptible de guérir son père aveugle et malade. À l'issue de son voyage, elle est en mesure de l'aider à retrouver la vue et à valoriser le féminin. Elle se marie ensuite avec un homme qui admire son intelligence, son courage et sa gentillesse, qualités qui lui ont permis d'accomplir son acte de rédemption. Le conte vient du Tadzhikistan, pays qui longe l'Afghanistan au sud et la Chine à l'est, dont la culture et le langage ressemblent à ceux des Perses. Il s'intitule *La fille courageuse*[1].

Un vieil homme qui a toujours eu envie d'avoir un fils mais qui n'a eu que trois filles tombe malade et devient aveugle. Dans une contrée lointaine se trouve un médecin qui est capable de concocter un remède qui peut guérir la cécité. Le père se lamente parce qu'il n'a pas de fils pour aller quérir la fameuse potion; il croit que cette tâche ne peut être accomplie par une fille. Son aînée, cependant, réussit à le convaincre de la laisser partir. Elle s'habille en homme et quitte la maison. Sur son chemin, elle rencontre une vieille femme malade et lui donne de la nourriture. La vieille lui dit qu'il est *impossible* de se procurer le remède; les jeunes hommes courageux qui ont essayé ont tous péri. En entendant cela, la jeune fille perd tout espoir et revient à la maison. Sa sœur cadette décide alors d'y aller et, bien que son père tente de la décourager, s'habille elle aussi en homme et se met en route. Le même scénario se reproduit: rencontre avec la vieille femme qui, après avoir accepté la nourriture que la jeune fille lui offre lui dit qu'il lui sera très *difficile* de s'acquitter de sa tâche et qu'elle va probablement périr en vain; retour de la jeune fille découragée à la maison. Sur quoi le père déclare: «Ah, qu'il est triste pour un homme de ne pas avoir de fils!»

Le cœur de la plus jeune des filles est touché par ces mots et elle implore son père de la laisser partir. Il résiste d'abord, lui expliquant qu'il vaut mieux rester chez soi que de s'aventurer en vain au dehors, mais finalement il accède à son désir. La jeune fille revêt alors des vêtements d'homme et se met en route pour aller quérir le remède. Lorsqu'elle rencontre la vieille femme, elle l'aborde poliment, l'aide à se laver et lui donne à manger avec plaisir. La vieille est impressionnée par les manières tendres et gracieuses de la jeune fille, mais elle lui déclare néanmoins qu'il est préférable qu'elle reste avec elle ou rentre à la maison, car un jeune garçon si doux ne pourra certainement réussir là où des hommes forts ont échoué. La fille refuse de faire demi-tour. C'est alors que, désarmée par le courage et la gentillesse de cet enfant, la vieille femme lui révèle le moyen de se procurer le remède.

Le médecin qui possède le secret de la potion a besoin, pour la fabriquer, de graines provenant des fruits d'un certain arbre. Ces graines ont un grand pouvoir guérisseur. Mais cet arbre fait partie des possessions du Dev, un monstre diabolique à trois têtes. Pour pouvoir s'approcher de l'arbre, la jeune fille devra se montrer extrêmement gentille avec les animaux et les serviteurs appartenant au Dev, ensuite elle profitera de ce que le monstre est endormi pour cueillir un fruit. Afin de la protéger du Dev au cas où celui-ci se mettrait à sa poursuite, la vieille femme a donné à la jeune fille un miroir, un peigne et une pierre à aiguiser, qu'elle devra jeter par-dessus son épaule. Lorsque cette dernière approche du logis du Dev, elle voit que la barrière est sale et tordue, aussi elle la nettoie rapidement et la redresse. À l'intérieur se trouvent d'énormes chiens et des chevaux enchaînés, mais l'avoine est devant les chiens et les os devant les chevaux. La jeune fille donne aux animaux la nourriture qui leur convient et s'en va. Elle rencontre des servantes dont les bras sont brûlés parce qu'elles doivent, lorsqu'elles préparent les repas du Dev, les faire cuire dans un four où règne un feu d'enfer. La jeune fille traite ces servantes en amies et coud, pour chacune d'elles, des manches protectrices. Celles-ci lui révèlent alors que l'arbre ne porte pas de fruits pour l'instant, mais qu'un sac de graines provenant des fruits de la saison précédente se trouve sous l'oreiller du Dev. Si les yeux de celui-ci sont ouverts, cela signifie qu'il dort et que la jeune fille peut s'emparer du sac sans danger. Elle s'approche et, après avoir constaté que le monstre est endormi, elle prend les graines. Le Dev s'éveille, appelle ses serviteurs, ses chiens et ses chevaux, leur ordonne de poursuivre le voleur et commande à la barrière de se refermer afin qu'il ne puisse se sauver. Étant donné que la jeune fille les a tous aidés, tout ce petit monde refuse d'obéir, et le Dev se voit obligé de la poursuivre lui-même. La jeune fille jette le miroir par-dessus son épaule; il se transforme en un torrent qui barre la route au Dev. Mais celui-ci réussit à le franchir et, lorsqu'il va atteindre à nouveau la fuyarde, elle jette la pierre à aiguiser par-dessus son épaule. Celle-ci se transforme en montagne. Le Dev franchit l'obstacle et elle jette alors le peigne qui se transforme en une forêt gigantesque, trop dense pour que le monstre puisse y pénétrer. Il abandonne la chasse et rentre dans son domaine.

La jeune fille arrive enfin à la maison du médecin, à qui elle remet les graines. Comme elle a prouvé qu'elle était «un intrépide et courageux jeune homme», il lui remet la potion qui va guérir la cécité de son père et lui fait cadeau de la moitié des graines. La jeune fille le remercie du fond du cœur et le médecin lui propose d'être son invitée pendant quelques jours. Elle accepte. Pendant ce séjour, un des amis du médecin découvre la véritable identité de la jeune fille et révèle qu'elle est en fait une femme déguisée en homme. Le médecin n'arrive pas à croire qu'un héros si valeureux, un être qui a été capable d'accomplir une action si courageuse puisse être une fille, aussi l'ami propose-t-il de la soumettre à un test. Il s'agit de mettre des chrysanthèmes blancs sous l'oreiller du fils du médecin et sous celui de la jeune fille, qui dorment dans la même chambre. Si le héros valeureux est une fille, les fleurs se flétriront, déclare cet homme, mais si c'est un jeune homme, elles resteront fraîches. La jeune fille, qui a deviné ce qui se trame, reste éveillée toute la nuit et, peu avant l'aube, découvre que les fleurs qui se trouvent sous son oreiller sont flétries. Elle les remplace alors par des fleurs fraîches qu'elle est allée cueillir au jardin. Lorsque le médecin, au matin, soulève les oreillers, il découvre deux bouquets de fleurs fraîches. Son fils, qui est lui aussi resté éveillé toute la nuit et a observé la visiteuse, décide, brûlant de curiosité pour cette mystérieuse personne, de l'escorter sur le chemin du retour.

Lorsqu'ils arrivent à destination, l'état du père de la jeune fille s'est tellement aggravé qu'il est cloué au lit, d'où il maudit le jour où il a permis à sa fille de partir en quête du remède censé le débarrasser de ses maux. Mais tout est bien qui finit bien, car la potion le guérit de sa cécité et de ses autres maladies. Sa fille lui raconte les épreuves qu'elle a subies avant de recevoir le remède. Il pleure de joie et déclare que jamais plus il ne regrettera de ne pas avoir de fils, car sa fille a fait preuve envers lui de la dévotion de dix fils et l'a guéri de ses maux. Le fils du médecin, certain maintenant que son compagnon est une fille, lui déclare son amour et la demande en mariage. Et lorsque la jeune fille dit à son père qu'une très profonde amitié la lie au jeune homme, le père est rempli de joie. C'est ainsi que la fille intelligente et courageuse et le fils du médecin érudit se marient et vivent heureux pour toujours.

Ce conte décrit un père malade et aveugle qui est incapable de voir les valeurs féminines dans leur totalité. Bien qu'il aime chèrement ses filles, il les croit incapables de voyager seules et de trouver le remède qui va le guérir. La seule représentation de l'esprit féminin, dans ce conte, est une vieille femme malade qui sait comment se procurer le remède mais qui croit cette tâche impossible, même pour un homme. Les trois filles veulent néanmoins essayer de se procurer la potion miraculeuse. Nous trouvons donc ici une image de père blessé, dont la relation au féminin est gravement endommagée et qui ne peut cependant être sauvé que par lui — en l'occurrence par la vieille femme qui a la connaissance, et par les filles qui possèdent le courage et la motivation.

Pour faire le voyage, les filles doivent porter des vêtements masculins. Ceci montre bien le peu d'estime et le manque de confiance dont pâtit le féminin: laisser voir qu'elles sont des femmes les mènerait vraisemblablement à l'échec. La première phase de la libération du féminin, dans notre culture, exige aussi que les femmes qui veulent réussir se comportent en homme. Dans la plupart des professions, les femmes, si l'on considère leur contribution en termes proprement féminins, ne sont pas plus acceptées par les autres femmes que par les hommes. Pour en revenir au conte, bien que les deux premières filles abandonnent leur quête et décident de rentrer à la maison, un progrès a néanmoins été accompli: elles étaient prêtes à se lancer dans le monde et à essayer d'y réussir. Et bien que la vieille femme ait déclaré à la plus âgée que la tâche était *impossible,* elle change plus ou moins d'opinion ensuite puisqu'elle déclare à la seconde fille que la tâche sera très *difficile,* pour finalement, après avoir tenté de dissuader la troisième fille, partager son savoir avec elle, ce qui va permettre à cette dernière d'accomplir la tâche. Tandis que les filles s'obstinent à essayer, la vieille femme devient plus optimiste et accepte enfin de communiquer sa sagesse et ses connaissances. Ce geste correspond, symboliquement parlant, aux progrès graduels faits par les femmes dans leurs efforts conjugués pour être reconnues et pour faire valoir leurs droits. Bien que la plus jeune fille soit encore déguisée en homme lorsque la vieille femme lui apprend comment obtenir le remède qui va guérir son père, elle impressionne quand même cette dernière par sa tendre gentillesse et par son courage — deux qualités que l'on considère parfois comme opposées, la culture attribuant la première aux femmes et la seconde aux hommes. En associant les deux, la jeune fille prouve qu'il est possible de les intégrer l'une à l'autre. Et c'est par le biais de cette intégration qu'elle apprend comment accéder au pouvoir guérisseur.

L'arbre aux fruits qui guérissent appartient au Dev, un monstre furieux. Pour avoir accès au pouvoir guérisseur, la plus jeune fille doit affronter la rage et la puissance de cette figure masculine destructrice. Il semble que la rédemption du père requière invariablement cet affrontement avec une agressivité et une rage monstrueuses, rage de la femme et rage que le père n'a pas été capable d'intégrer. Sur le plan culturel, les femmes ont dû affronter, pour faire connaître leur valeur et leurs besoins, la rage qu'elles éprouvaient à l'égard des pères patriarcaux. La manière avec laquelle la fille soustrait les graines guérisseuses au monstre en colère n'a cependant rien à voir avec un affrontement direct: elle est attentionnée, aimable, gentille; elle huile les charnières de la barrière (l'entrée du domaine du monstre), nourrit les animaux (les instincts) et protège les bras brûlés des servantes (le féminin) — aspects que le monstre a négligés. Et parce qu'elle les a aidés, c'est à elle qu'ils viennent en aide et non pas au monstre. On trouve aussi dans ce conte tous les aspects de la relation père-fille qui ont besoin d'être «guéris». L'entrée que la fille doit emprunter pour se lancer dans le monde n'a pas été entretenue; les instincts féminins sont enchaînés et ne reçoivent pas la nourriture qui leur convient; et la capacité féminine d'appréhender le monde (les bras) a été «brûlée» parce que les femmes ont été transformées en servantes. En palliant à ces manques, la fille gentille et courageuse est capable de soustraire les graines guérisseuses au monstre. Mais elle doit également parer à ses attaques lorsqu'il tente de les récupérer, comme beaucoup de femmes qui ont fait des pas importants dans leur processus de guérison et d'accomplissement doivent se défendre des attaques menées par de vieilles forces monstrueuses. Cela signifie que les femmes en pleine évolution doivent continuer sans cesse à faire des efforts pour conserver le bénéfice de leur développement et ne pas retomber dans leurs vieux schémas passifs. Pour empêcher le monstre de la rattraper, la jeune fille possède les présents de la vieille femme: le miroir, la pierre à aiguiser et le peigne. Le miroir permet de se voir clairement, la pierre à aiguiser sert à affûter les outils et le peigne démêle et coiffe les cheveux, ce qui donne au visage un encadrement et un caractère particulier. Lorsque le féminin est ainsi formé, ces objets redeviennent des forces naturelles qui repoussent les attaques du monstre.

Bien que la fille courageuse ait soustrait les graines guérisseuses au monstre et les ait remises au médecin, qui en retour lui donne la potion qui va guérir les yeux du père, la jeune fille doit encore être soumise à un test afin d'être en mesure de réhabiliter le père. Bien qu'elle ait établi une relation avec le médecin guérisseur, elle ne peut pas lui révéler qu'elle est une femme. À une certaine étape de son développement et lorsqu'il est nécessaire qu'elle accomplisse des tâches particulières, la femme doit utiliser son côté masculin. Étant donné les conditions sociales dans lesquelles elle se trouve, la fille courageuse doit conserver son déguisement de garçon afin d'égarer ceux qui l'entourent, ce qui va lui permettre, au bout du compte, de mettre en valeur le féminin en elle. Si la jeune fille révélait, à ce moment précis, qu'elle n'est pas un homme, cette révélation pourrait mettre en péril l'accomplissement de sa tâche: guérir le père. Car c'est précisément les compétences et le courage féminins que le père et la société ont été incapables de voir. Ceci fait d'ailleurs écho à l'incrédulité du médecin qui croit qu'un acte aussi héroïque ne peut être accompli par une femme. Les femmes qui essaient d'accéder à leur propre force et à leurs aptitudes abandonnent souvent avant d'arriver au but; elles se lancent alors dans une nouvelle liaison amoureuse et projettent leur force nouvelle et leur pouvoir sur leur partenaire, perdant ainsi ces derniers pour elles-mêmes. Cette possibilité se présente à la fille courageuse lorsqu'elle rencontre le fils du docteur, partenaire potentiel. Mais elle en connaît le danger et se montre attentive. La fragilité et l'aspect transitoire de la force féminine sont symbolisés par les fleurs flétries. Mais la fille reste éveillée toute la nuit et remplace les fleurs fanées par des fleurs fraîches, action qui peut être associée à la prise de conscience et au sens de l'action nécessaires aux femmes lorsqu'elles veulent prouver que leur force et leur courage féminins ne sont pas des événements transitoires ou éphémères mais des qualités permanentes. Cette action exceptionnelle est observée par le fils du médecin. Celui-ci, intrigué, veut connaître cette personne et, pour ce faire, propose de la ramener chez elle. Lorsque la jeune fille arrive chez son père avec le remède qui lui permet de retrouver la vue, ce dernier réalise qu'il a sous-estimé le pouvoir de ses filles; il pleure de joie et est enfin apte à reconnaître la valeur du féminin. Puis il déclare qu'il ne regrettera plus jamais de ne pas avoir de fils. Le jeune homme, qui a conçu un profond amour pour sa nouvelle amie après avoir découvert qu'elle était une fille, la demande en mariage. Lorsque la jeune fille explique à son père qu'un solide lien d'amitié les attache l'un à l'autre, il consent avec joie au mariage.

Ainsi, après avoir réhabilité son père, qui a découvert la valeur du féminin, la fille est libre de se marier — mariage fondé sur un lien d'amitié profonde et mutuelle, sur l'amour et l'admiration de l'homme pour le courage et la sagesse de la femme, et non sur des projections culturelles. La rédemption du père, sur les plans culturel et personnel, peut mener à cette possibilité — l'union mature du féminin et du masculin. Et la fille, dans cette union, peut agir selon son essence féminine, ce qui va lui permettre de montrer toute sa force et son esprit!

Ce conte de fées nous donne une image de la manière dont une fille peut guérir la blessure du père. Au cours de ce processus, elle va établir une connexion plus profonde avec sa propre force et avec le pouvoir de son esprit féminin si bien qu'il lui deviendra possible d'avoir une relation plus aimante avec le masculin. Mais comment ce processus de réhabilitation du père va-t-il se traduire sur les plans personnel et culturel?

Sur le plan personnel, la rédemption pourrait n'être possible qu'intérieurement, car le père est peut-être mort, ou fermé à une relation nouvelle. Mais cela ne diminue en rien l'importance de la tâche. Comme le dit le protagoniste de la pièce *Je n'ai jamais rien chanté pour mon père*, «la mort met fin à la vie, pas à la relation[2]». La relation au père intérieur doit être transformée. Si elle ne l'est pas, les vieux modèles destructeurs résultant de la relation détériorée continueront à faire des dégâts. Une partie de ce processus de transformation entraîne la découverte des schémas destructeurs et de l'importance de leur action sur notre vie. Un autre palier permet de reconnaître la valeur du père; ce palier est absolument indispensable car si l'on n'établit pas une relation avec le côté positif du père, un aspect de la psyché va rester déconnecté, non intégré, et va se charger d'un pouvoir potentiel de destruction. Au niveau culturel, la rédemption du père exige que l'on reconnaisse aussi bien son aspect négatif que son aspect positif. Et il est également nécessaire de changer les principes culturels dominants, afin que le féminin et le masculin soient également mis en valeur et acquièrent une importance similaire.

La réhabilitation du père a été le problème crucial de mon développement personnel et spirituel. Ma relation blessée avec mon père avait semé la pagaille dans les domaines les plus importants de ma vie: ceux de ma féminité, de ma relation aux hommes, au jeu, à la sexualité, à la créativité et à la confiance nécessaire pour faire son chemin dans l'existence. J'ai compris très vite, grâce à mon métier de thérapeute, qu'instaurer une nouvelle relation avec le père est une tâche importante pour les femmes qui ont souffert d'une relation détériorée avec cet homme. Sur le plan culturel, je crois que ce problème est celui de toutes les femmes, puisque la relation aux pères culturels dominants doit être transformée elle aussi.

La réhabilitation du père, dans ma propre vie, a été un long processus, qui a commencé lorsque j'ai entamé une analyse jungienne. Avec l'aide de l'analyste chaleureuse et attentionnée qui a fait office de réceptacle pour mes énergies jaillissantes, je suis entrée dans un nouveau royaume — le monde symbolique des rêves. C'est là que j'ai rencontré des aspects de moi-même dont j'ignorais totalement l'existence. J'y ai aussi découvert mon père — le père que j'avais rejeté depuis si longtemps. Je ne me souvenais pas seulement de mon père, mais de plusieurs figures paternelles, images d'un père archétype. Ce père avait plus de visages que je n'aurais pu imaginer, et cette constatation me plongea dans l'effroi. Elle me terrifia, mais elle me remplit aussi d'espoir. L'identité de mon ego, les idées que je me faisais sur moi-même s'effondrèrent. Il y avait en moi un pouvoir plus fort que mon moi consciemment reconnu. Ce pouvoir «écrasa» mes tentatives de prendre le contrôle sur mon existence et sur les événements, et eut sur moi l'effet d'une avalanche, qui change la forme d'une montagne. Il fallait, pour m'accomplir, que j'apprenne à me connecter à ce pouvoir plus grand.

En rejetant mon père, j'avais refusé mon pouvoir, car ce rejet entraînait le refus de ses qualités positives aussi bien que négatives. C'est ainsi que, en même temps que l'irresponsabilité et la dimension irrationnelle que j'avais niées, je perdis accès à ma créativité, à ma spontanéité et à ma sensibilité féminines. Mes rêves ne cessaient de démontrer cela. Dans l'un d'eux, mon père était très riche et possédait un grand palais tibétain; dans un autre il était un roi espagnol. Tout cela était en contradiction avec l'homme pauvre et diminué que j'avais connu et appelé «père». Au moment où mes pouvoirs se dégageaient, mes rêves prouvaient que je refusais ces pouvoirs. Je rêvai d'un chien magique qui me donnait le pouvoir de fabriquer des opales. Je les fabriquais, les prenais dans ma main, puis je les distribuais, n'en gardant aucune pour moi. Dans un autre rêve, un maître de la méditation me disait: «Tu es belle et tu ne veux pas le reconnaître.» Et une voix me soufflait, dans le rêve suivant: «Tu possèdes la clé pour accéder à un savoir et tu dois l'utiliser.» Mais je m'éveillais, hurlant de terreur, criant que je refusais de prendre cette responsabilité. Mon comportement était absurde dans la mesure où, tout en critiquant mon père, en le haïssant parce qu'il avait négligé ses potentialités, je faisais exactement la même chose. Je ne me mettais pas en valeur et n'accordais aucune importance à ce que j'avais à offrir. Au lieu de cela, j'oscillais entre la *puella* confiante, fragile et accommodante et l'amazone assoiffée de succès et pénétrée du sens de ses responsabilités.

Le rejet de mon père avait mis ma vie en pièces; on y trouvait des figures non intégrées et conflictuelles, chacune d'elles essayant de prendre le contrôle sur les autres. Cet état de fait ne pouvait déboucher que sur une situation explosive. Pendant longemps je fus incapable d'accepter la mort de ces identités différentes, qui allait me permettre d'accéder à une plus grande unité inconnue sur laquelle se fonderait ma magie — cette base mystérieuse de mon être qui allait devenir plus tard le ressort de ma guérison. C'est ainsi que cette prise de contact avec cette base puissante me conduisit à de fréquentes crises d'anxiété. Je refusais de m'abandonner, de m'ouvrir à ces pouvoirs plus forts, alors ils me submergèrent et me montrèrent leur visage menaçant. Ils m'attaquèrent soudainement et à plusieurs reprises au *centre* même de mon être, me précipitant hors de mes schémas de contrôle, comme un éclair ouvre une main fermée et crispée. Je réalisai alors à quel point mes défenses étaient faibles. Je me trouvais tout à coup face au vide. Je me demandais si c'était cela que mon père avait vécu et s'il avait voulu éviter cette confrontation en se réfugiant dans l'alcool. Les «esprits» de l'alcool qui avaient pris le pouvoir sur son être étaient peut-être des substituts d'esprits plus grands, ou même une défense contre eux parce qu'ils étaient trop près de lui. Après avoir dénié toute valeur à mon père après sa chute dans l'irrationalité du règne dionysiaque, il me fallait à présent apprendre à redonner toute sa valeur à ce règne en faisant fi de mon besoin de tout contrôler. Mais il était nécessaire que je fasse connaissance avec le négatif, que je me plonge dans le chaos incontrôlable de mes sentiments et de mes pulsions, que j'entre dans les profondeurs obscures où était enfoui le trésor inconnu. La réhabilitation du père, en fin de compte, exigeait que je pénètre dans le monde souterrain, que je donne sa valeur à cette part de moi-même que j'avais rejetée. Ainsi je pus honorer les esprits. Mon analyse jungienne me permit de comprendre tout cela et l'écriture consolida le processus dans lequel je m'étais engagée.

L'écriture fut un moyen de réhabiliter mon père. Lorsque j'étais enfant, je voulais être écrivain. Prendre le risque de mettre mes idées sur papier m'a demandé beaucoup de courage et de volonté. Le pouvoir des mots exige que l'écrivain les cautionne. Écrire me demandait en fait de me concentrer sur ces mots et de m'engager dans une nouvelle relation avec mon père. Il fallait que je le regarde réellement, que je m'efforce de comprendre sa version des faits, ses aspirations et son désespoir. Il ne m'était plus possible de le tenir hors de ma vie, comme si je pouvais échapper entièrement à mon passé et à ses conséquences. Et je ne pouvais plus l'accuser d'être la cause de tous mes problèmes. Par le biais de l'écriture, nous nous trouvions soudainement face à face. Comme Orual, c'est mon père que je voyais lorsque je me regardais dans un miroir. Cette confrontation était extrêmement douloureuse car mon père avait porté l'aspect caché de mon existence, tout ce qui était sombre, terrifiant et mauvais. Mais, étrangement, ce face à face était aussi une source de lumière et d'espoir, car dans l'obscurité brille la lumière créatrice des pouvoirs de l'imagination du monde souterrain. Et je sentais également la force de l'énergie masculine résidant dans l'affrontement. Un an après avoir commencé à écrire et à regarder mon père en face, je fis le rêve suivant:

> Je regardais de beaux coquelicots aux couleurs éclatantes. Ils étaient rouges, orange et jaunes. J'avais envie que ma mère-analyste soit là pour les admirer avec moi. Puis je traversais le champ de coquelicots et un ruisseau. Soudain, je me trouvais dans un monde souterrain, assise à une table de banquet avec beaucoup d'hommes. Le vin rouge coulait à flots et je décidais de prendre un autre verre. Tandis que je buvais, les hommes levèrent leur verre à ma santé; leur attitude affectueuse me remplit de joie, je me sentis toute réchauffée.

Ce rêve inaugura mon initiation au monde souterrain. J'étais passée du monde bien éclairé de la mère au royaume obscur du père-amant. Mais on y trinquait à ma santé. Il s'agissait là d'une situation incestueuse, mais elle m'était nécessaire. Une partie du rôle du père, selon H. Kohut, est de se laisser idéaliser par sa fille et de lui permettre ensuite, petit à petit, en prenant bien soin de ne pas s'éloigner d'elle, de détecter ses limites réalistes[3]. Bien entendu, avec les projections idéalistes apparaît l'amour irrationnel, inconditionnel. En ce qui me concerne, l'amour s'est transformé en haine, et mes idéaux antérieurs associés à mon père ont été rejetés par la même occasion. Pour me reconnecter à son aspect positif, il fallait que j'apprenne à nouveau à aimer cet homme, que j'accorde de la valeur à son côté ludique, spontané, magique, mais sans cesser pour autant de voir ses limites. De cette manière, il me serait possible de concrétiser ses aspects positifs dans ma propre existence. Chérir l'idéal du père me permettrait d'aimer mon idéal à moi et de le réaliser en moi-même. Mais il fallait d'abord que j'accepte la valeur de mon père et que je reconnaisse ensuite qu'elle m'appartenait. Cette démarche rompit le lien incestueux inconscient qui m'attachait à cet homme et présida à ma relation avec les pouvoirs transcendants enfouis dans mon inconscient.

Les détails entourant la rédemption du père peuvent être différents pour des filles blessées en relation avec d'autres aspects de leur père, mais le problème de base reste le même: la réhabilitation de cet homme exige que l'on reconnaisse sa valeur cachée. Les filles qui ont réagi contre un père trop autoritaire, par exemple, auront vraisemblablement des difficultés à accepter leur propre autorité; elles auront tendance à s'adapter ou à réagir comme des révoltées. Il faudra donc qu'elles accordent de l'importance à leur responsabilité à l'égard d'elle-même et des autres, qu'elles acceptent leur force et leur pouvoir. Mais elles devront évaluer leurs limites, négocier avec elles et ne les franchir que lorsqu'elles peuvent être dépassées. Apprendre quand il convient de dire non ou quand il faut dire oui est essentiel. Cela signifie que l'on poursuit des idéaux réalistes dont on connaît les limites aussi bien que les siennes propres. Pour employer des termes freudiens, on pourrait ajouter que ces femmes doivent avoir une relation positive avec leur «surmoi», la voix intérieure de l'éva-luation, du jugement et de la prise de décision. Cette voix, lorsqu'elle est constructive, n'est ni trop critique, ni trop sévère, ni trop indulgente; elle permet de voir et d'entendre avec objectivité. Une de mes patientes l'exprimait ainsi: «J'ai besoin d'entendre en moi la voix du père me féliciter gentiment quand j'ai bien travaillé, mais je veux aussi qu'il me dise quand je suis dans l'erreur.» La rédemption de cet aspect du père signifie la disparition du juge critique, qui proclame sans cesse que l'on est coupable, et de l'avocat de la défense, qui réagit avec des autojustifications, au profit d'un arbitre gentil et objectif. Cela veut dire que l'on doit utiliser son propre sens des valeurs plutôt que de mendier à l'extérieur pour obtenir l'approbation des autres. Au lieu de devenir la proie des projections collectives qui ne correspondent pas à notre nature, on sait qui l'on est et comment actualiser ses possibilités authentiques. Sur le plan culturel, cela signifie que l'on accorde suffisamment de valeur au féminin pour le défendre contre la vision collective de ce que le féminin est censé être.

Les filles qui ont eu une relation «trop positive» avec leur père ont elles aussi un certain aspect du père à réhabiliter. En raison de cette relation trop positive, elles ont vraisemblablement trop idéalisé cet homme et ont ainsi projeté la force de leur père intérieur sur le vrai. En conséquence, leur relation avec d'autres hommes est difficile car aucun d'eux ne peut se montrer l'égal du père. Elles sont liées à leur père comme le sont certaines femmes à un «amant fantôme». (Une relation idéalisée avec le père est souvent construite inconsciemment lorsque celui-ci est absent.) Les relations trop positives avec le père peuvent interdire aux femmes d'établir une vraie relation avec un homme et les empêchent très souvent d'avoir accès à leur potentiel professionnel. Le père étant trop idéalisé, elles ne voient plus leurs propres possibilités d'apporter leur contribution à la société. La réhabilitation de leur père en elles-mêmes exige qu'elles reconnaissent d'abord et avant tout son côté négatif. Cet homme doit devenir à leurs yeux un être humain, et non une figure idéalisée, afin qu'elles puissent intérioriser le principe féminin en elles-mêmes.

La belle et la bête illustre de plusieurs manières ce genre de rédemption. La belle aime son père. Elle lui a demandé un simple cadeau, une rose qu'il doit aller voler dans le jardin de la bête. Il s'exécute et devient le prisonnier de cette créature. Pour sauver son père, la fille doit rejoindre la bête et vivre avec elle. Elle est terriblement effrayée, mais lorsqu'elle apprend à apprécier la valeur de la bête et à l'aimer, elle se transforme en prince, ce qu'elle était avant qu'on lui jette un mauvais sort, et le père est sauvé.

En fin de compte, la réhabilitation du père n'aura lieu qu'en redonnant forme au masculin intérieur, en «paternant» cet aspect que l'on a en soi-même. Au lieu du «vieil homme pervers» et du «garçon en colère et révolté», les femmes doivent trouver «l'homme de cœur», cet homme intérieur qui entretient une bonne relation avec le féminin.

La responsabilité culturelle des femmes d'aujourd'hui est liée au même processus. La valeur du principe paternel doit être découverte et ses limites doivent être reconnues. Une partie de cette tâche exige que l'on fasse la différence entre ce qui est essentiel au père et ce qui a été imposé artificiellement par la culture. La plupart du temps, le principe paternel a été séparé en deux opposés incompatibles — le patriarche rigide et autoritaire et l'éternel adolescent enjoué mais irresponsable. Dans notre culture occidentale, le côté autoritaire du père a été mis en valeur et accepté consciemment et le côté enjoué et puéril réprimé ou consciemment dévalué. Sur le plan culturel, la situation qui en a résulté peut être comparée à celle que l'on trouve dans *Iphigénie à Aulis*. Le pouvoir autoritaire prend les décisions (Agamemnon) et sacrifie la fille, mais la cause première du sacrifice est consécutive à la jalousie du frère puéril (Ménélas). Ces deux côtés sont étrangers sur le plan conscient, mais dans l'inconscient ils se ressemblent par leur caractère possessif; ils sont donc complices dans le sacrifice de la fille, autrement dit du féminin naissant. Les femmes d'aujourd'hui doivent affronter la rupture du principe paternel et contribuer à sa guérison. En ce sens, la réhabilitation du père implique parfois qu'il faut «re-rêver» celui-ci, fantasme féminin sur ce que le père devrait être et faire. Ce qui me déçoit à propos d'Iphigénie, c'est qu'elle finit par aller volontairement à la mort. Même si les circonstances extérieures entourant son sacrifice et le piège dans lequel son père est tombé semblaient rendre sa mort inévitable, son instinct féminin aurait pu trouver les mots et la sagesse nécessaires pour convaincre cet homme qu'une autre solution était possible. Cette attitude aurait peut-être produit une transformation dans la conscience masculine. Les femmes viennent de commencer à se comporter de la sorte — elles partagent leurs sentiments et leurs fantasmes et les portent à l'attention du public. Elles ont besoin de raconter leur histoire, de dire aux hommes ce qu'elles attendent d'eux, de le dire avec leurs tripes, sans essayer de justifier leurs sentiments en utilisant des raisons qui conviennent aux hommes. Mais ce discours sur elles-mêmes doit se faire dans un esprit de compassion et non d'amertume. La plupart des femmes restent piégées dans le factice de leur existence; elles ne voient pas leurs possibilités. Cet aveuglement les conduit à la rancœur et au cynisme. C'est là que la valeur de la *puella* devient réhabilitante, car sa connexion profonde avec le règne de la possibilité et de l'imagination peut l'amener à une nouvelle façon de voir et de réaliser des choses et à une mise en valeur neuve du féminin. Lorsque cette vision créative est combinée à la force et au pouvoir de concentration de l'amazone, une nouvelle compréhension et des sentiments vrais pour le père peuvent émerger.

Récemment, j'ai demandé aux étudiants de l'un de mes cours d'écrire leurs fantasmes à propos du père. Comment était, selon eux, un bon père? Cette classe était principalement constituée de femmes de vingt à trente ans, mais il y avait aussi quelques hommes. Voici le résultat de cette petite enquête: le père est un homme fort, stable, ferme, actif, aventureux; on peut se fier à lui. Mais il est également chaleureux, aimant, compatissant, tendre, attentionné, attentif et bon éducateur. Leur fantasme à propos du père avait créé un androgyne, c'est-à-dire un être ayant intégré les éléments masculins et féminins.

Un thème majeur récurrent révélait que le père devait être un bon guide, aussi bien dans le monde intérieur que dans le monde extérieur. Mais ce guide ne devait être ni moralisateur ni exigeant. «Guider et enseigner, pas prêcher ni pousser» étaient les mots qui résumaient la manière dont le père devait les aider à instaurer leurs limites propres, leurs principes et leurs valeurs et à trouver un équilibre entre la discipline et le plaisir. Ils mettaient l'accent sur le fait que le père devait guider par l'exemple, qu'il devait être un modèle de confiance adulte, d'honnêteté, de compétence, d'autorité, de courage, de fidélité, d'amour, de compassion, de compréhension et de générosité dans les domaines du travail et de la créativité, dans l'engagement social, éthique ou amoureux. Simultanément, il fallait qu'il mette ces valeurs en pratique en son nom propre, sans jamais les imposer à sa fille en essayant de lui faire croire qu'il n'y a pas d'autre chemin possible. Ce guide devait être un bon éducateur, un conseiller; il devait encourager sa fille à être indépendante et à explorer par elle-même. Sur le plan pratique, il devait lui enseigner la manière d'établir un budget et l'épauler dans ses aspirations professionnelles, quelles qu'elles soient. Ayant foi en sa force, en sa beauté, en son intelligence et en ses compétences, il était très fier de sa fille. Mais il ne devait en aucun cas projeter ses désirs insatisfaits sur elle et être dépendant ou trop protecteur. Il fallait au contraire qu'il aide celle-ci à affirmer son mode de vie unique et personnel, en respectant et en mettant en valeur sa personnalité, sans toutefois attendre d'elle qu'elle prenne des responsabilités qui ne soient pas de son âge. Il était sensible et disponible sur le plan émotionnel chaque fois qu'elle avait besoin de lui, et cela tout au long de son développement. Ainsi, de manière mesurée et intuitive, il lui offrait, au bon moment, la protection et les conseils dont elle avait besoin. Lorsqu'elle était sur le point de devenir adulte, il passait du rôle du père à celui d'ami, lui prodiguant respect et amour. C'est alors qu'il apprenait d'elle à son tour. En fin de compte, le père et la fille étaient capables de parler ensemble, de s'écouter mutuellement et de partager leurs expériences.

La vie du père, sa gaieté, sa créativité, sa joie de vivre sont importantes pour les femmes. Elles veulent qu'il ait une existence riche et remplie de défis, qui le rende encore plus fort et fasse de lui un être paisible, ordonné, solide et digne de confiance. Mais il faut aussi qu'il soit aimant et capable d'exprimer ses émotions aussi bien que ses besoins et ses désirs; ce père modèle a à cœur sa santé émotionnelle, physique, intellectuelle, créative et spirituelle. Ce sens des responsabilités à l'égard de lui-même constitue la base sur laquelle il s'appuie pour prendre soin de sa fille. Il est également crucial que le père accepte de demander de l'aide lorsqu'il en a besoin et qu'il montre sa vulnérabilité, exprimant ouvertement ses sentiments, avec sincérité et honnêteté, plutôt que de macérer dans ses problèmes, de les ruminer ou de s'en débarrasser de manière brutale. Et, par-dessus tout, le père doit être prêt à recevoir l'amour de sa fille.

Un autre aspect extrêmement important de ce «bon père» est que sa relation émotionnelle majeure est celle qu'il a avec sa femme. Ce n'est pas à sa fille de combler ses besoins émotionnels; elle doit au contraire être libre de s'épanouir, sur ce plan, sans contraintes ni obligations. Un père qui respecte sa femme en tant que partenaire forte, indépendante et compétente, sans la traiter comme une fille en étant autoritaire avec elle ou comme une mère en lui étant soumis devient, pour la fille, un modèle de bonne relation maritale et de respect que l'homme et la femme doivent avoir l'un envers l'autre. Ainsi, sa relation avec son épouse servira d'exemple quant à la manière dont un homme doit partager son existence avec une femme mature.

Les relations sexuelles constituèrent une autre question infiniment importante. Le père doit être le garant d'une relation saine avec le sexe opposé. Lorsque, au moment approprié, il sait reconnaître la «différence» de sa fille et sa sexualité féminine — même en flirtant avec elle d'une manière subtile et sans danger —, il l'aide à franchir le pont menant à une sexualité épanouie. En évitant d'être possessif et en l'épaulant dans ses efforts pour se situer face aux hommes, il facilite l'épanouissement de sa fille dans ce domaine.

Une bonne relation avec son «enfant intérieur» et le sens de l'humour sont également des qualités que les femmes considèrent, chez le père, comme essentielles. Il doit pouvoir s'amuser et entrer dans le monde ludique de sa fille, mais sans devenir un enfant lui-même, bien entendu. Mais, plus que tout, il doit être disponible quand elle a besoin de lui; il doit se montrer logique, fiable, honnête; il ne peut jamais trahir sa parole.

L'intégration de toutes ces qualités leur paraissant constituer une tâche surhumaine, mes étudiantes en arrivèrent à la conclusion que le père ne pouvait être «parfait», et que d'ailleurs elles ne le désiraient pas. L'une d'entre elles déclara: «Le père est un être humain comme les autres et doit avoir le droit de vivre toutes les émotions que connaissent les autres êtres humains. S'il ignore quelque chose, il doit pouvoir l'admettre.» Une autre étudiante, après avoir relu sa description, la remit en question: «C'est trop idéaliste; ça me rend nerveuse.» Puis une autre expliqua que son développement avait été compromis parce qu'elle avait eu un «père parfait». Les autres hommes n'arrivant pas à un degré de dévouement aussi élevé que celui de son père, il lui avait été difficile d'avoir une relation satisfaisante avec eux. «Mon père est trop sûr de moi et il croit que je peux tout faire. Je m'illusionne parfois assez pour le croire.»

La réhabilitation du père demande également que l'on réhabilite le féminin en soi-même — en lui donnant sa pleine valeur. Le problème du père blessé résulte en partie du fait qu'il est lui-même hors d'une bonne relation avec le féminin.

Ou bien il en est coupé et le dévalue en adoptant le rôle du patriarche rigide, ou il est en son pouvoir, comme dans le cas de l'éternel adolescent qui perd sa capacité d'agir et devient passif. Le premier nie le pouvoir du féminin, l'autre lui en donne trop en le mettant sur un piédestal. Ce faisant, il le sous-estime également.

Lorsqu'une femme se met réellement en valeur et agit en fonction de ses besoins réels, de ses sentiments et de ses intuitions, lorsqu'elle crée d'une manière qui lui est personnelle, lorsqu'elle vit selon ses convictions, elle est capable de dialoguer avec le masculin. Elle n'est pas obséquieuse et n'essaie pas d'imiter. Mettre en valeur ce qui caractérise le féminin est vraiment difficile car cela exige que l'on affronte le collectif avec ses propres armes. La *puella* a tendance à endosser les projections que l'on fait sur elle en se pliant à ce que veulent les autres. Quant à l'amazone, en imitant le masculin, elle dévalue le féminin en acceptant implicitement la supériorité du masculin.

Qu'est-ce que le féminin? Il s'agit là d'une question que se posent les femmes d'aujourd'hui. Elles cherchent, dialoguent les unes avec les autres, essayant de donner un sens à leurs expériences. Beaucoup de femmes ont l'intuition de ce qu'est le féminin, mais elles ne possèdent pas les mots pour exprimer leur connaissance car notre langage et nos concepts ont été forgés pour les hommes. C'est pourquoi la réhabilitation du féminin est devenue elle aussi un défi et une nécessité. Elle a commencé et elle se manifeste tous les jours. Muriel Rukeyser l'exprime très bien dans son poème intitulé *Kathe Kollwitz:*

> Qu'arriverait-il si une femme
> disait la vérité sur sa vie?
> Le monde s'ouvrirait.[4]

CHAPITRE DIX

À LA RECHERCHE
DE L'ESPRIT FÉMININ

Lorsque j'ai commencé à écrire ce livre, je pensais que le chapitre sur la réhabilitation du père guérirait la profonde blessure qui m'avait fait souffrir pendant de si nombreuses années. J'espérais que la souffrance venue de mon passé disparaîtrait de ma mémoire. Mais je me trompais. Au lieu de cela, ma douleur augmenta; la blessure devint encore plus profonde, car j'étais devenue plus vulnérable et plus ouverte à mes sentiments de peine et de colère. Une fois de plus, ma blessure était à vif.

Tandis que je me débattais au milieu de ce bouleversement et écrivais l'avant-dernier chapitre prévu («La réhabilitation du père»), je fis deux rêves, dont le premier un jour ou deux avant de commencer la rédaction de ce même chapitre. C'était un horrible cauchemar dont je m'éveillai dans un complet désarroi et qui me fit pleurer pendant des heures. Dans ce rêve, ma première analyste, cette femme que j'aimais tant et qui était devenue ma seconde mère et mon modèle, était décédée. Avant sa mort, elle m'avait envoyé, d'Europe, une messagère qui m'avait apporté trois cadeaux. Le plus important était une énorme cuvette de toilette ouvragée et rehaussée d'or qui en fait ressemblait beaucoup à un calice.

Ce cadeau exquis était destiné à la salle de séjour de ma maison. Des photos de moi, prises au début de mon analyse, accompagnaient ce présent, ainsi que des rapports d'analyse. Je sanglotais et ne cessais de me répéter que ce n'était pas vrai, que cette femme ne pouvait être morte. Je voulais appeler la Suisse, où elle se trouvait, pour savoir. Mais le rêve ne cessait de me confirmer cette mort.

Le premier choc passé, je compris le contenu symbolique de ce rêve. La mort de cette analyste qui avait été à la fois une mère et un modèle me laissait seule devant l'existence. Mais cette femme m'avait offert trois présents que je conserverais toute ma vie. Les photos me rappelaient de quoi j'avais l'air lorsque j'avais commencé mon analyse et les rapports étaient des comptes rendus relatant ce qui s'était passé. Quant à la cuvette de toilette rehaussée d'or et délicatement ouvragée ressemblant à un calice, elle constituait le présent le plus représentatif que mon analyste puisse me donner, car elle symbolisait l'union du «plus haut» et du «plus bas». Cette femme, par le biais de son acceptation et de son exemple, m'avait donné la possibilité de «sortir de moi-même», de mettre en valeur puis de contenir des éléments que j'avais rejetés jusque-là — ma rage et mes larmes — ainsi que mon désir refoulé d'accéder au côté spirituel positif de mon père. Le rêve montrait clairement l'importance de ce cadeau dans ma vie: il devait être placé au centre de ma maison, la salle de séjour, et ne devait à aucun prix être relégué dans un coin de ma demeure. Ce rêve était une image de la formation et du contenu de mon esprit féminin.

Je fis le second rêve le jour de mon anniversaire, quelques jours après avoir terminé le chapitre sur la réhabilitation du père. Dans ce rêve, je demandais à une autre analyste, qui me suivait également, de couper mes cheveux et de me faire une permanente afin qu'ils aient plus de volume et d'épaisseur. Cela exprimait sans aucun doute mon désir de mettre en forme mon identité féminine, de lui donner plus de permanence et de substance.

La réhabilitation du père n'était pas la dernière étape du processus de guérison de ma blessure. Mes rêves me disaient que le secret ultime de cette guérison ne résidait pas dans le masculin mais dans le féminin. Cette réhabilitation constituait un processus paradoxal puisque, en fin de compte, je devais cesser de projeter l'esprit du féminin sur le père et le rechercher à l'intérieur du féminin. La réhabilitation du père signifiait qu'il me fallait trouver l'esprit féminin en moi-même!

Il m'apparut que mon modèle, lors de la guérison de cette blessure, avait été en partie masculin — c'était une notion linéaire progressant fermement et en ligne droite vers le but, alors que mon expérience m'avait toujours démontré que le chemin de la transformation ressemblait beaucoup plus à une spirale. Inévitablement, je revins à maintes reprises à mes blessures et à mes conflits centraux, et, à chaque fois, cette expérience me parut plus pénible. La seule différence était que ces périodes de souffrance avaient tendance à se raccourcir et que j'avais de plus en plus de force, de courage et d'aptitudes pour affronter mes douloureux problèmes.

Robert Bly, dans un poème intitulé «Pourquoi le chagrin?», exprime bien la valeur d'une telle souffrance.

> Pourquoi le chagrin? C'est une grange remplie
> de blé, d'orge, de maïs et de larmes.
> On y accède en montant sur une pierre ronde.
> La grange nourrit tous les oiseaux de tristesse.
> Et je me dis: Vas-tu continuer d'être chagrin?
> Avance! Sois joyeux en automne,
> sois stoïque, oui, sois paisible, tranquille,
> ou, dans la vallée des chagrins, étends tes ailes.[1]

Mon chagrin était évidemment semblable à une grange. Après chaque rechute, la qualité de mon existence devenait plus profonde, plus réceptive, plus spontanée et plus joyeuse. Ma vie semblait plus harmonieuse chaque fois que je tournais autour du cercle. L'image de la troisième tâche de psyché — recueillir l'eau de la source qui jaillissait entre la plus haute montagne et les profondeurs du monde souterrain — avait repris vie. Comme le disait le philosophe Heidegger, qui a été mon père spirituel, l'image de l'existence humaine est circulaire. Nous vivons notre vie pratique selon les aiguilles de l'horloge. Car nous savons tous que notre vie n'est pas principalement linéaire. Une heure passée à écouter une symphonie que nous aimons, à faire l'amour, à jouer ou à nous adonner à l'une ou l'autre chose qui nous passionne constitue un moment intense, alors que cinq minutes d'une conférence ennuyeuse ou d'une autre activité qui ne nous plaît pas peuvent paraître interminables. Le temps est semblable à une spirale en mouvement constant. Le futur vient continuellement à notre rencontre, mais il rencontre notre passé à chaque moment du présent immédiat. Chaque fois que ce moment survient, nous sommes confrontés avec les nouveaux plans mystérieux de notre être. Nous devons rencontrer le futur inconnu en permettant à tout ce qui a été formé en nous par le passé de compter.

Cette image du processus de guérison s'opérant de manière cyclique me libéra de cet espoir de mon ego qui me disait que si je suivais les étapes A, B, C et suivantes, je viendrais définitivement à bout de mes problèmes. Elle me fournit une vision plus souple et plus arrondie de moi-même et de ma course à travers l'existence. Je me souvins également d'avoir un jour questionné le *Yi King* pour obtenir une image de la transformation de la blessure du père et de la fille. L'hexagramme que je reçus était «la Révolution» (n° 49), dont le deuxième trait progresse vers l'hexagramme n° 18: «Le travail sur ce qui est corrompu». Ce dernier hexagramme représentait la corruption de l'image parentale. C'était sur cette corruption que je devais travailler.

L'hexagramme «la Révolution» se réfère spécifiquement aux saisons de la transformation. Cette image règle le calendrier et clarifie le temps. «Les révolutions s'accomplissent dans la nature suivant des lois déterminées et produisent ainsi le cours circulaire de l'année[2]», d'où l'adaptation adéquate à chaque saison. «Suivre le cycle des saisons» est l'image que je reçus pour éclairer la transformation de ma blessure et pour trouver l'esprit féminin.

Cela signifiait que je devais accepter les saisons les unes après les autres. Tandis que j'écris ceci, c'est l'automne — le moment où nous jouissons des dernières incandescences glorieuses des heures dorées de l'été indien. Mais nous voyons apparaître aussi les présages de la saison froide, de la mort et des limitations; ils nous donnent un avant-goût de la prochaine descente dans les ténèbres qui, elle, précédera la renaissance joyeuse du printemps. Bientôt ce sera l'hiver, l'époque où il faut accepter le froid et se réfugier à l'intérieur, où il faut attendre patiemment, entrer dans une hibernation au cours de laquelle on ne peut chanter victoire, mais qui nous permet de passer au travers des ténèbres et de les endurer. On sent parfois le mouvement de la vie mais on n'est jamais tout à fait sûrs que la renaissance surviendra. En hiver, il faut accepter que «l'on ne sait pas» et croire à la vie même si elle n'apporte rien de neuf, affirmer que la vie existe en soi-même et au dehors. Alors vient le printemps, avec ses bourgeons naissants et ses petites pousses vertes. Il semble que cette saison contenant toutes les possibilités soit la plus facile à accepter, et pourtant nous savons que le taux de suicide augmente à cette période de l'année. Si on ne s'est pas attachés à l'hiver comme il le fallait, si on l'a affronté sans vraiment accepter ses promesses de mort aussi bien que ses promesses de renaissance, si on s'y est enfouis trop profondément, oubliant le passage des saisons, alors il se pourrait que l'on ne soit pas capables d'accepter le renouveau et, dans la peur du changement, que l'on s'accroche à la dépression et aux choses passées. Un grand nombre de femmes perdent ainsi des années de leur vie; elles plongent dans le désespoir et la dépression, sans jamais accepter leurs possibilités, refusant d'entrer dans le monde, refusant le printemps. Le printemps demande que l'on accueille les possibilités nouvelles qui se présentent: elles poussent et il faut les arroser et les nourrir. Et lorsque vient l'été — avec le mûrissement de toutes ces possibilités —, il faut les concrétiser, les défendre et en tirer satisfaction. Je pense qu'il s'agit là du défi essentiel que doit relever la femme: se réaliser comme un être à part entière, accepter aussi bien la lumière et l'obscurité que les nouveaux cycles des saisons. La blessure fait partie de notre expérience; nous devons apprendre à l'accepter et à vivre avec elle, tout en nous tournant vers chaque nouvelle possibilité de la guérir. Ce choix demande un effort sérieux, une volonté de descendre dans nos profondeurs intimes, d'écouter et de parler en fonction de notre expérience féminine.

J'ai été frappée, en lisant *La fille courageuse,* de voir à quel point il était nécessaire de revêtir des habits d'homme pour pouvoir être en mesure d'obtenir le remède capable de guérir la cécité du père. D'autres héroïnes, comme Jeanne d'Arc, ont également ressenti la nécessité de s'habiller en homme pour atteindre leur but. Se revêtir consciemment d'habits masculins n'a rien à voir avec le fait de porter une armure d'amazone. Lorsque le déguisement est consciemment choisi, il peut être également ôté consciemment. Il est parfois indispensable d'adopter des vêtements d'homme pour se sauvegarder lorsqu'on veut affronter le monde et défendre les valeurs féminines. Cela me fait penser à Rosalinde, l'héroïne d'une comédie de Shakespeare, *Comme il vous plaira.* La jeune fille doit se déguiser pour sauver sa vie mise en péril par les desseins diaboliques du duc qui a banni son père du pays. Elle choisit de rester dans le royaume de son père, déguisée en homme, afin de tester la sincérité de l'amour d'Orlando. Elle refuse d'essayer de le séduire en acceptant et en utilisant les projections qu'il pourrait faire sur elle. Elle se dit qu'en étant déguisée en homme elle verra comment son amoureux en puis-sance se conduit avec elle en tant qu'ami. Elle verra également comment une action comme la sienne est perçue par la culture lorsqu'elle est libre de toute projection collective. Voici ses paroles lorsqu'elle revêt les habits d'homme:

> Hélas! quel danger il y aura pour nous, filles que nous sommes, à voyager si loin! La beauté provoque les voleurs plus même que l'or. [...] Ne vaudrait-il pas mieux, étant d'une taille plus qu'ordinaire, que je fusse en tout point vêtue comme un homme? Un coutelas galamment posé sur la cuisse, un épieu à la main, je m'engage, dût mon cœur receler toutes les frayeurs d'une femme, à avoir l'air aussi rodomont et aussi martial que maints poltrons virils qui masquent leur couardise sous de faux semblants.[3]

Il s'agissait bien d'une étape nécessaire dans la libération des femmes. Mais le temps est maintenant venu, selon moi, de revêtir nos propres vêtements et de prendre la parole en fonction de notre sagesse et de notre force féminines. Qu'est-ce que le féminin? Il est difficile de le décrire, mais nous pouvons l'explorer et ensuite, fortes de cette expérience, essayer de l'exprimer par des symboles, des images et des formes artistiques grâce auxquelles nous pénétrerons son mystère et pourrons ensuite, d'une manière ou d'une autre, lui donner vie, lui permettre d'agir. Récemment, une femme m'expliqua qu'elle avait, pour la première fois de sa vie, fait l'expérience du féminin. Mais elle n'arrivait pas à décrire cette expérience. Elle ne trouvait aucun mot, aucune image pour le faire. Cette incapacité ne remet nullement en cause la valeur et l'intensité de cette expérience, ni la prise de conscience qui y a présidé. Un des défis des femmes d'aujourd'hui n'est pas seulement d'être ouvertes à l'expérience du féminin mais d'essayer de l'exprimer à leur manière.

J'ai demandé un jour à mes étudiantes de décrire leurs images et leur expérience du féminin. C'étaient ces mêmes élèves qui avaient décrit leurs fantasmes à propos du meilleur des pères. Cette description n'avait pas été difficile et les qualités qu'elles prêtaient au meilleur des pères étaient étonnamment semblables. Il n'en fut pas de même lorsqu'il fut question du féminin. En fait, elles restèrent bloquées un moment, puis les descriptions qu'elles firent se révélèrent sensiblement différentes les unes des autres. Leur seule conviction commune était qu'une femme ne doit jamais prendre sa mère comme modèle. Elles sentaient qu'elles ne devaient compter que sur elles-mêmes, qu'elles devaient essayer d'exprimer seules leur propre expérience.

Les femmes commencent à réaliser que ce sont les hommes qui ont défini la féminité en fonction de leurs projections inconscientes et de leurs attentes conscientes concernant ce que peut ou ne peut pas faire la femme. Tout cela a débouché sur une vision déformée, non seulement des femmes mais également de l'aspect féminin intérieur de l'homme. Les femmes doivent, avant toute chose, prendre conscience de ces définitions et de ces projections et déclarer lesquelles leur correspondent et lesquelles n'ont rien à voir avec elles. Les hommes peuvent leur apporter leur appui dans ce processus. Lorsqu'ils sont sensibles au féminin, lorsqu'ils sont réceptifs, à l'écoute, ils peuvent décrire leur propre expérience de la féminité qui peut nous aider à comprendre encore mieux la nôtre. Rilke était très sensible au domaine féminin et a découvert les qualités et la force particulières à l'esprit féminin et uniques. Mais il reste aux femmes elles-mêmes à raconter leur propre histoire en fonction de leurs expériences et de leurs sentiments personnels, tout en gardant bien entendu l'œil ouvert sur l'universel.

Lorsque les femmes commencent à se sentir plus sûres d'elles et à exprimer leurs valeurs à leur manière, elles sont capables de guérir le masculin. Le masculin, chez la femme, chez l'homme et dans la culture, est blessé en raison de sa pauvre relation au féminin. Le rêve suivant est celui d'une femme dont la relation avec le père avait été blessée.

> Je suis infirmière dans un hôpital. Un de mes patients est un homme séduisant. Il est amputé du bras gauche. Mais je ne ressens pas son infirmité; il me semble plutôt qu'il y a quelque chose de magique entourant l'absence de ce bras. Sur son ordre, j'attache un de mes bras à sa personne. L'unique émotion que je ressens est faite d'amour. Lorsque je m'éveille, je ressens un sentiment de plénitude.

Ce rêve révèle à la femme son pouvoir de guérir le masculin intérieur. La pauvre relation que la rêveuse avait eue avec son père avait compromis celle qu'elle avait avec le masculin, mais en dépit de cela, elle possédait en elle-même le pouvoir de guérir cette blessure. Dans le rêve, la guérison survient grâce aux efforts conjugués de l'homme et de la femme.

Un autre rêve, fait par un homme cette fois, démontre le pouvoir du féminin de guérir le masculin blessé aussi bien chez l'homme que dans le domaine culturel. Le rêveur était un homme chaleureux et attentif qui reconnaissait pleinement la valeur du féminin, aussi bien chez les femmes qu'en lui-même. Son rêve explique la blessure dans le masculin au niveau archétypique, ainsi que ses effets sur la culture.

> Je me dirigeais vers la maison d'une femme aux cheveux foncés. Je désirais cette femme mais ne faisais l'amour avec elle qu'en pensée. Lorsqu'elle m'ouvrit la porte, je sus immédiatement qu'elle était exceptionnelle et que j'avais quelque chose à apprendre d'elle. Mais je lui demandai de faire l'amour avec moi. Alors elle me regarda avec une expression qui signifiait: «D'accord, si c'est tout ce qui t'intéresse.» Puis la scène changea et je me retrouvai aux funérailles du président Kennedy. Son corps était dans le cercueil, démembré: ses mains, ses bras, ses jambes et ses pieds étaient déta-

chés. Soudain, la femme aux cheveux foncés arrivait et ratta-
chait les morceaux du corps, le guérissant.

Le rêve révèle la blessure du masculin. Le pouvoir guérisseur du féminin est symbolisé par l'inconnue aux cheveux
foncés que le rêveur, au début, ne reconnaît pas à sa juste
valeur et à laquelle il n'est lié que par ses vieux schémas
masculins de désir de possession. Il sait pourtant, à un niveau
plus profond, que cette femme a quelque chose à lui offrir. Le
pouvoir rédempteur de la guérison opérée par le féminin est
révélé à la fin du rêve, lorsque l'inconnue rattache les
morceaux démembrés du corps du président, le dirigeant
culturel du pays.

Souvenons-nous que ce pouvoir de guérison par le féminin
était reconnu dans la mythologie. La déesse Isis, reine
d'Égypte, retrouva le corps démembré du roi Osiris, son
époux, et en rattacha les membres. Une partie de ce corps
manquait: le phallus. Isis en façonna un en bois et l'attacha au
corps du roi. Nous pouvons établir un parallèle entre cette
légende et *La fille sans mains*, car cette dernière s'est vu offrir
des bras en argent qui lui ont permis d'attendre jusqu'à ce
que ses propres membres repoussent grâce à sa capacité
d'accepter son chagrin. Le nouveau phallus d'Osiris devait
être créé par une femme. Il avait besoin d'une femme pour se
régénérer. En cette ère technologique, où l'on met l'accent sur
la réussite et le contrôle, il semble que le phallus symbolique
ait été perdu et que les hommes aient sacrifié leur fille intérieure au démon dans le but de posséder. Ils ont souvent peur
de reconnaître leurs blessures et ont perdu accès aux larmes.
L'esprit féminin qui a le courage d'affronter la blessure et le
pouvoir insufflé par la rage et les larmes peut guérir par le
biais d'une juste appréciation du pouvoir cyclique naturel des
différentes saisons et par l'aptitude de la terre à recevoir de
nouvelles semences de créativité.

NOTES

CHAPITRE PREMIER

1. Pour une description de la vision symbolique du féminin par opposition aux approches biologiques et culturelles, voir *The Feminine in Jungian Psychology and in Christian Theology* d'Ann Ulanov (Northwestern University Press, Evanston, 1971).
2. Jung voit le père de manière symbolique, comme un archétype. Le père archétype constitue, entre autres, une image de la culture patriarcale dans laquelle les femmes occidentales doivent vivre. Il en est de même pour la fille archétype, qui peut constituer une image du féminin et est subordonnée à la culture patriarcale. Le grand nombre de blessures parmi les pères et les filles biologiques dans notre culture reflète le problème existant entre le principe du père dominant et la subordination du principe féminin de la fille dans notre culture en tant qu'entité. La manifestation culturelle de la relation entre le principe du père et celui de la fille peut être une distorsion de leur relation.
3. Vera Von der Heydt a décrit, en partant d'un point de vue jungien, le rôle du père et la manière avec laquelle il élève ses enfants dans un article intitulé: «On the Father in Psychotherapy», dans *Fathers and Mothers* (Spring Publications, Zurich, 1973). Le processus de développement au cours duquel le père traditionnel projette ses idéaux sur sa fille est décrit, selon un autre point de vue, par H. Kohut, dans *The Analysis of the Self* (International University Press, New York, 1971).
4. Le *puer aeternus*, ou éternel adolescent, est une formule empruntée à Ovide, qui l'a utilisée pour nommer un jeune dieu séduisant et espiègle. Marie Louise von Franz a décrit cee modèle dans *Puer Æternus* (Spring Publications, Zurich, 1970).
5. Esther Harding a décrit l'amant fantôme dans *Les mystères de la femme* (traduit de l'américain par Évelyne Mahyer, Éditions Payot, Paris, 1976).
6. Anaïs Nin, *Journal*, traduit de l'anglais par Marie-Claire Van der Elst, Stock, Paris, 1969.
7. James Hillman a décrit ces deux extrêmes et leur interaction secrète dans son article «Senex and Puer: an Aspect of the Historical and Psychological Present», *(Eranos Jahrbuch XXXVI, 1967)*.

8. Le rôle de la mère dans le développement de la fille est un sujet extrêmement vaste sur lequel on a abondamment écrit. Nancy Friday, dans *Ma mère, mon miroir* (traduit de l'américain par Théo Carlier, Robert Laffont, Paris, 1976) explore l'influence de la mère sur la fille dans la recherche d'identité de cette dernière. D'un point de vue jungien, Erich Neumann analyse l'archétype de «The Great Mother» et sa relation au développement de la conscience dans *The Great Mother* (Princeton University Press, Princeton, 1963).

9. *Puella* est un mot latin qui signifie «fille». La *puella aeterna* (éternelle adolescente) est le pendant féminin de l'éternel adolescent (*puer aeternus*).

10. Søren Kierkegaard: *Crainte et tremblement* et *La maladie à la mort*.

CHAPITRE DEUX

1. Pour une analyse plus détaillée, voir *The Feminine* d'Ulanov.
2. Euripide, *Iphigénie à Aulis*.
3. *Ibid.*
4. Dans d'autres versions, Iphigénie est sauvée au dernier moment par Artémis et devient une prêtresse de cette déesse amazone, préfigurant ainsi une compensation fréquente dans notre société.
5. *Ibid.*
6. *Ibid.*
7. *Ibid.*
8. *Ibid.*
9. *Ibid.*
10. Voir *Électre*, d'Euripide.
11. *Yi King: Le livre des transformations*, Richard Wilhelm et Étienne Perrot, Lib. de Médicis, Paris, 1973
12. *Mythologie générale* (Larousse). Ce fait indique une opposition entre l'Artémis lunaire personnifiant le pouvoir de l'esprit féminin et l'esprit du vent masculin.
13. Esther Harding a étudié l'image de la vierge en relation avec les déesses anciennes et a fait remarquer que, sur le plan symbolique, chaque femme a besoin de sentir et d'agir en fonction du pouvoir et de la force de sa sagesse féminine unique, plutôt que de projeter ce pouvoir sur les hommes. Voir *Women's Mysteries* (Harper and Row, New York, 1976).
14. Robert Bly, *News of the Universe*, Sierra Club Books, San Francisco, 1980.
15. *Ibid.*

CHAPITRE TROIS

1. Henrik Ibsen, *Maison de poupée*, traduction de Moritz Prozor, Lib. Académique Perrin, Paris, 1961.
2. *Ibid.*
3. *Ibid.*
4. Tennessee Williams, *La ménagerie de verre* (Extrait traduit par P. Noyart).
5. Anaïs Nin, *Une espionne dans la maison de l'amour* (Extrait traduit par P. Noyart).
6. *Ibid.*
7. Arthur Miller, *Après la chute* (Extrait traduit par P. Noyart).
8. *Ibid.*
9. Kierkegaard, *La maladie à la mort*.
10. Les frères Grimm, *Les contes de Grimm*.

CHAPITRE QUATRE

1. June Singer, *Androgyny*, Anchor Books, New York, 1977.
2. Rainer Maria Rilke, *Lettres à un jeune poète*, traduit de l'allemand par Bernard Grasset et Rainer Biemel, Éditions Bernard Grasset, Paris, 1937.
3. Ma description de l'amazone diffère de celle de Toni Wolff. Voir l'analyse d'Ulanov dans *The Feminine*.
4. Sylvia Plath, *La cloche de détresse* (Extrait traduit par P. Noyart).
5. *Ibid.*
6. *Ibid.*
7. *Ibid.*
8. Ingmar Bergman, *Face à face*.
9. Federico Fellini, *Juliette des esprits*. Fellini met l'accent sur le contraste entre l'indépendance féminine authentique et la masculinisation de la femme. Il dit ceci: «La masculinisation de la femme est une des choses les plus horribles qui soient. Non, les femmes ne doivent pas s'émanciper dans le but d'imiter les hommes — il s'agirait là d'un développement qui se ferait dans la projection de ce fameux aspect «sombre» masculin —, elles doivent découvrir leur réalité propre, une réalité différente. Différente, me semble-t-il, de celle de l'homme mais profondément complémentaire et pouvant s'y intégrer. Cela constituerait une étape vers une humanité plus heureuse.»
10. C. G. Jung. *Œuvres complètes*.
11. Alexander Lowen, *Amour et orgasme*, traduit de l'américain par Anne Rives Éditions du Jour, Montréal, 1977.
12. C. S. Lewis, *Till We have faces*, W. B. Eerdman's Publishing Co., Grand Rapids, 1956.
13. *Ibid.*
14. Kierkegaard, *La maladie à la mort*.
15. *Ibid.*
16. *Yi King, op. cit.*
17. *Ibid.*

CHAPITRE CINQ

1. *A Woman Speaks: The Lectures, Seminars and Interviews of Anaïs Nin*, sous la direction d'Evelyn J. Hinz, The Swallow Press, Chicago, 1975.
2. Bernardo Bertolucci, *Le dernier tango à Paris*.
3. Lowen, *Amour et orgasme, op. cit.*
4. *The Blue Fairy Book*, sous la direction d'Andrew Lang, Dover Publications, New York, 1965.
5. Extrait de *The Other Voice* sous la direction de Bankier, Cosman, Earnshaw, Keefe, Lashgari et Weaver, W. W. Norton Co, New York, 1976.
6. Carlos Castaneda étudie le thème du guerrier dans la plupart de ses ouvrages. Voir, par exemple, *Histoires de pouvoir* (Éditions du Soleil Noir).
7. Rilke, *Lettres à un jeune poète, op. cit.*
8. Les frères Grimm, *Les contes de Grimm*.
9. *Lotus Blossoms,* traduction de Peter Beilensen, The Peter Pauper Press, New York, 1970.

CHAPITRE SIX

1. Robert Bly a étudié le pouvoir de Kali dans la plupart de ses ateliers. Ann Ulanov a développé cette idée suivant une autre perspective dans ses conférences sur «The witch».

2. Voir *Réponse à Job* de C. G. Jung (Éditions Buchet-Chastel, Paris, 1963).
3. Les frères Grimm, *Les contes de Grimm*.
4. Erich Neumann, *Amor and Psyche* (Extrait traduit par P. Noyart).
5. Dawn Brett, «Apotheosis», poème inédit (Traduit par P. Noyart).

CHAPITRE SEPT

1. Rainer Maria Rilke, *Les élégies de Duino*, traduit de l'allemand par Armel Guerne, Éditions du Seuil, Paris, 1972.
2. *Ibid.*
3. Les frères Grimm, *Les contes de Grimm*.
4. Erich Neumann, *Amor and Psyche*.

CHAPITRE NEUF

1. «The Courageous Girl», dans *The Sandalwood Box: Folktales from Tadzhikistan*, Charles Scribner's Sons, New York.
2. Robert Anderson, «I Never Sang for My Father» dans *The Best Plays of 1967-1968*, Dodd, Mead and Co., New York, 1968.
3. H. Kohut, *Analysis of the Self*, International University Press, New York, 1971.
4. *No More Masks*, sous la direction de Howe et Bass, Doubleday-Anchor Books, New York, 1973.

CHAPITRE DIX

1. Robert Bly, «What is Sorrow For?», poème inédit (Traduit par P. Noyart).
2. *Yi King, op. cit.*
3. Shakespeare, *Comme il vous plaira*.

TABLE DES MATIÈRES

LES ÉDITIONS DE L'HOMME

Ouvrages parus aux Éditions de l'Homme

Affaires et vie pratique

30 jours pour mieux organiser, Gary Holland
Acheter et vendre sa maison ou son condominium, Lucille Brisebois
* Acheter une franchise, Pierre Levasseur
* Les assemblées délibérantes, Francine Girard
* La bourse, Mark C. Brown
  Le chasse-insectes dans la maison, Odile Michaud
* Le chasse-insectes pour jardins, Odile Michaud
  Le chasse-taches, Jack Cassimatis
* Choix de carrières — Après l'université, Guy Milot
* Choix de carrières — Après le collégial professionnel, Guy Milot
* Choix de carrières — Après le secondaire V, Guy Milot
* Comment cultiver un jardin potager, Jean-Claude Trait
  Comment rédiger son curriculum vitæ, Julie Brazeau
* Comprendre le marketing, Pierre Levasseur
  Des pierres à faire rêver, Lucie Larose
* Devenir exportateur, Pierre Levasseur
  L'étiquette des affaires, Elena Jankovic
* Faire son testament soi-même, Me Gérald Poirier et Martine Nadeau Lescault
  Les finances, Laurie H. Hutzler
  Gérer ses ressources humaines, Pierre Levasseur
  Le gestionnaire, Marian Colwell
  La graphologie, Claude Santoy
* Le guide complet du jardinage, Charles L. Wilson
  Le guide de l'auto 91, Denis Duquet et Marc Lachapelle
  Guide du savoir-écrire, Jean-Paul Simard
* Le guide du vin 91, Michel Phaneuf
* Le guide floral du Québec, Florian Bernard
  Guide pratique des vins de France, Jacques Orhon
  J'aime les azalées, Josée Deschênes
* J'aime les bulbes d'été, Sylvie Regimbal
  J'aime les cactées, Claude Lamarche
* J'aime les conifères, Jacques Lafrenière
* J'aime les petits fruits rouges, Victor Berti
  J'aime les rosiers, René Pronovost
  J'aime les tomates, Victor Berti
  J'aime les violettes africaines, Robert Davidson
  J'apprends l'anglais..., Gino Silicani et Jeanne Grisé-Allard
  Le jardin d'herbes, John Prenis
  Je me débrouille en aménagement intérieur, Daniel Bouillon et Claude Boisvert
* Lancer son entreprise, Pierre Levasseur
  Le leadership, James J. Cribbin
  Le livre de l'étiquette, Marguerite du Coffre
* La loi et vos droits, Me Paul-Émile Marchand
  Le meeting, Gary Holland
  Le mémo, Cheryl Reimold
* Mon automobile, Gouvernement du Québec et Collège Marie-Victorin

Affaires publiques, vie culturelle, histoire

* La saga des Molson, Shirley E. Woods
  Sauvez votre planète!, Marjorie Lamb
* La sculpture ancienne au Québec, John R. Porter et Jean Bélisle
* Sous les arches de McDonald's, John F. Love
* Le temps des fêtes au Québec, Raymond Montpetit
* Trudeau le Québécois, Michel Vastel
* La vie antérieure, Henri Laborit

Animaux

Le chat de A à Z, Camille Olivier
Le cheval, Michel-Antoine Leblanc
Le chien dans votre vie, Matthew Margolis et Catherine Swan
L'éducation canine, Gilles Chartier
L'éducation du chien de 0 à 6 mois, Dr Joël Dehasse et Dr Colette de Buyser
* Encyclopédie des oiseaux du Québec, W. Earl Godfrey
Le guide astrologique de votre chat, Éliane K. Arav
Le guide de l'oiseau de compagnie, Dr R. Dean Axelson
* Mon chat, le soigner, le guérir, Dr Christian d'Orangeville
* Nos animaux, D. W. Stokes et L. Q. Stokes
* Nos oiseaux, tome 1, Donald W. Stokes
* Nos oiseaux, tome 2, Donald W. Stokes et Lillian Q. Stokes
* Nos oiseaux, tome 3, Donald W. Stokes et Lillian Q. Stokes
* Nourrir nos oiseaux toute l'année, André Dion et André Demers
Vous et vos oiseaux de compagnie, Jacqueline Huard-Viaux
Vous et vos poissons d'aquarium, Sonia Ganiel
Vous et votre bâtard, Ata Mamzer
Vous et votre Beagle, Martin Eylat
Vous et votre Beauceron, Pierre Boistel
Vous et votre Berger allemand, Martin Eylat
Vous et votre Bernois, Pierre Van Der Heyden
Vous et votre Bobtail, Pierre Boistel
Vous et votre Boxer, Sylvain Herriot
Vous et votre Braque allemand, Martin Eylat
Vous et votre Briard, Pierre Van Der Heyden
Vous et votre Bulldog, Pierre Van Der Heyden
Vous et votre Bullmastiff, Pierre Van Der Heyden
Vous et votre Caniche, Sav Shira
Vous et votre Chartreux, Odette Eylat
Vous et votre chat de gouttière, Annie Mamzer
Vous et votre chat tigré, Odette Eylat
Vous et votre Chihuahua, Martin Eylat
Vous et votre Chow-chow, Pierre Boistel
Vous et votre Cockatiel (Perruche callopsite), Michèle Pilotte
Vous et votre Cocker américain, Martin Eylat
Vous et votre Collie, Léon Éthier
Vous et votre Dalmatien, Martin Eylat
Vous et votre Danois, Martin Eylat
Vous et votre Doberman, Paula Denis
Vous et votre Épagneul breton, Sylvain Herriot
Vous et votre Fox-terrier, Martin Eylat
Vous et votre furet, Manon Paradis
Vous et votre Golden Retriever, Paula Denis
Vous et votre Husky, Martin Eylat
Vous et votre Labrador, Pierre Van Der Heyden

Cuisine et nutrition

Micro-ondes plus, Marie-Paul Marchand
Modifiez vos recettes traditionnelles, Denyse Hunter
Les muffins, Angela Clubb
La nouvelle cuisine micro-ondes, Marie-Paul Marchand et Nicole Grenier
La nouvelle cuisine micro-ondes II, Marie-Paul Marchand et Nicole Grenier
Les pâtes, Julien Letellier
* La pâtisserie, Maurice-Marie Bellot
La sage bouffe de 2 à 6 ans, Louise Lambert-Lagacé
Les tisanes qui font merveille, Dr Leonhard Hochenegg et Anita Höhne
* Toutes les meilleures pizzas, Joie Warner
* Toutes les meilleures salades et vinaigrettes, Joie Warner
* Toutes les meilleures sauces pour les pâtes, Joie Warner
Une cuisine sage, Louise Lambert-Lagacé
Votre régime contre l'arthrite, Helen MacFarlane
Votre régime contre le diabète, Martin Budd
Votre régime contre le psoriasis, Harry Clements
Votre régime pour contrôler le cholestérol, R. Newman Turner
Weight Watchers — La cuisine santé, Weight Watchers
Les yougourts glacés, Mable et Gar Hoffman

Plein air, sports, loisirs

* 100 trucs de billard, Pierre Morin
52 Week-ends au Québec, André Bergeron
L'ABC du bridge, Frank Stewart et Randall Baron
Apprenez à patiner, Gaston Marcotte
L'arc et la chasse, Greg Guardo
Les armes de chasse, Charles Petit-Martinon
L'art du pliage du papier, Robert Harbin
La batterie sans professeur, James Blades et Johnny Dean
La bicyclette, Jean Corbeil
Carte et boussole, Björn Kjellström
Le chant sans professeur, Graham Hewitt
Le clavier électronique sans professeur, Roger Evans
* Les clés du scrabble, Pierre-André Sigal et Michel Raineri
Comment vivre dans la nature, Bill Rivière et l'équipe de L. L. Bean
Le conditionnement physique, Richard Chevalier, Serge Laferrière et Yves Bergeron
* Construire des cabanes d'oiseaux, André Dion
Corrigez vos défauts au golf, Yves Bergeron
* Le curling, Ed Lukowich
De la hanche aux doigts de pieds — Guide santé pour l'athlète,
    M. J. Schneider et M. D. Sussman
Devenir gardien de but au hockey, François Allaire
* Le dictionnaire des bruits, Jean-Claude Trait et Yvon Dulude
Exceller au baseball, Dick Walker
Exceller au football, James Allen
Exceller au tennis, Charles Bracken
Exceller en natation, Gene Dabney
La flûte traversière sans professeur, Howard Harrison
Le grand livre des sports, Le groupe Diagram
Grandir en 100 exercices, Henri B. Zimmer
Le guide complet du judo, Louis Arpin
Le guide de l'alpinisme, Massimo Cappon
Le guide de la pêche au Québec, Jean Pagé
Le guide de survie de l'armée américaine, Collectif

Guide de survie en forêt canadienne, Jean-Georges Desheneaux
Guide des jeux scouts, Association des Scouts du Canada
La guitare, Peter Collins
La guitare sans professeur, Roger Evans
J'apprends à dessiner, Joanna Nash
J'apprends à nager, Régent la Coursière
Je me débrouille à la chasse, Gilles Richard
Je me débrouille à la pêche, Serge Vincent
*Jouez gagnant au golf, Luc Brien et Jacques Barrette
Jouons au scrabble, Philippe Guérin
Le karaté Koshiki, Collectif
Le golf au féminin, Yves Bergeron et André Maltais
Le programme 5BX, pour être en forme,
Le livre des patiences, Maria Bezanovska et Paul Kitchevats
*Maîtriser son doigté sur un clavier, Jean-Paul Lemire
Manuel de pilotage, Transport Canada
Le manuel du monteur de mouches, Mike Dawes
Le marathon pour tous, Pierre Anctil, Daniel Bégin et Patrick Montuoro
La médecine sportive, Dr Gabe Mirkin et Marshall Hoffman
La musculation pour tous, Serge Laferrière
*La nature en hiver, Donald W. Stokes
*Les papillons du Québec, Christian Veilleux et Bernard Prévost
*Partons en camping!, Archie Satterfield et Eddie Bauer
Partons sac au dos, Archie Satterfield et Eddie Bauer
Les passes au hockey, Claude Chapleau, Pierre Frigon et Gaston Marcotte
Photos voyage, Louis-Philippe Coiteux et Michel Frenette
Le piano jazz sans professeur, Bob Kail
Le piano sans professeur, Roger Evans
La planche à voile, Gérald Maillefer
La plongée sous-marine, Richard Charron
Racquetball, Jean Corbeil
Racquetball plus, Jean Corbeil
Les règles du golf, Yves Bergeron
Rivières et lacs canotables du Québec, Fédération québécoise du canot-camping
S'améliorer au tennis, Richard Chevalier
Le saumon, Jean-Paul Dubé
*Le scrabble, Daniel Gallez
Les secrets du baseball, Jacques Doucet et Claude Raymond
Le solfège sans professeur, Roger Evans
La technique du ski alpin, Stu Campbell et Max Lundberg
Techniques du billard, Robert Pouliot
Le tennis, Denis Roch
Le tissage, Germaine Galerneau et Jeanne Grisé-Allard
Tous les secrets du golf selon Arnold Palmer, Arnold Palmer
La trompette sans professeur, Digby Fairweather
Le violon sans professeur, Max Jaffa
Le vitrail, Claude Bettinger
Le volley-ball, Fédération de volley-ball

Psychologie, vie affective, vie professionnelle, sexualité

30 jours pour redevenir un couple heureux, Patricia K. Nida et Kevin Cooney
30 jours pour un plus grand épanouissement sexuel, Alan Schneider et
     Deidre Laiken
Adieu Québec, André Bureau

Santé, beauté

le jour, éditeur

Ouvrages parus au Jour

Affaires, loisirs, vie pratique

Ésotérisme, santé, spiritualité

Essais et documents

Psychologie, vie affective, vie professionnelle, sexualité

* Pour l'Amérique du Nord seulement

Achevé   Imprimerie
d'imprimer Gagné Ltée
au Canada Louiseville